世界一やさしいChatGPT入門

ChatGPTビジネス研究会

宝島社新書

はじめに

２０２２年11月、アメリカの非営利法人オープンＡＩが提供開始したサービス「チャットＧＰＴ」は、公開されるやいなや、類のないスピードで利用者が増えていった。獲得したユーザーは5日で１００万、２カ月で1億にものぼり、インスタグラムやティックトックさえ上回るペースだった。

なぜこんなスピードでユーザーが増えたのか。答えは簡単で、チャットＧＰＴの性能がスゴかったためだ。

今までのチャットボット（自動応答プログラム）は、あらかじめ答えられる質問が限られており、まったく関係ない質問をすると、的外れな回答を返したり、「わかりません」「答えられません」などと回答を拒否したりする。

チャットＧＰＴは違う。ほとんどの質問に対して、丁寧に答えてくれる。それだけではなく、回答の文章は非常に滑らかで、ＡＩが書いたものとは思えないほど読みやすい。

ただ、質問を繰り返していると、チャットＧＰＴの回答に誤りが含まれることに気づくだろう。実は、チャットＧＰＴの中には「正しい知識」がストックされているわけではなく、質問に対して「それらしい答え」を返すようなしくみになっているだけだ。

チャットGPTを使いこなすには、このような情報を知っておく必要がある。そうしないと、チャットGPTを「嘘をついてばかりで使えないツールだ」と誤解してしまう。

本書は、チャットGPTの背景や、チャットGPTを取り巻く現状を知ることによって、チャットGPTをより深く理解し、さらに簡単な使い方をマスターすることを目的としている。

第1章では、AI(人工知能)はどんな歴史を持っているのか、チャットGPTが登場するまでの道筋を確認する。

第2章では、AIに対する警戒感やAIの持つ問題点を挙げ、チャットGPTを利用する際に起こりそうなトラブルを避けるための助けとする。

第3章では、チャットGPTが普及することによって失業する人が増えるのではないかといった懸念や、逆にチャットGPTの普及で増える仕事について触れる。

第4章では、チャットGPT以外の対話型AIを紹介し、さらにチャットGPTを利用したサービス・製品の一部を紹介する。

第5章では、チャットGPTをまだ利用したことがない人向けに、登録準備と簡単な使い方を解説する。

第6章では、チャットGPTを何に使えばいいのか、簡単な事例を挙げる。

第7章では、有料版のチャットGPTプラスで利用できる機能について、いくつかのテーマに触れる。

「チャットGPTとは何か」を知りたい場合は第1章から、実際に使ってみたいなら第5章と第6章、有料プランについて知りたい人は第7章を読んでいただきたい。

チャットGPTについては、当初の期待が大きかったこともあり、「仕事に使えるクオリティではない」「そもそも用途がわからない」「回答が信頼できない」などと批判されることもある。使わない理由はいくらでも挙げられるだろうが、チャットGPTはデジタル技術としては少なくとも10年に一度、もしかすると30年に一度しか現れないような重要な技術であることは間違いない。

ブロードバンド接続は2001年ごろから本格的に普及し始めた。その10年後の2011年から、スマホの利用者は爆発的に増え始めた。その11年後の2022年に登場したチャットGPTは、これらに並ぶ革新的な技術であることは確かだ。本書を手がかりに、ぜひともチャットGPTに親しんでいただきたい。

第**1**章

チャットGPT登場の衝撃

急速にユーザーを獲得したチャットGPT

2022年11月、アメリカのオープンAIが公開した対話型AIチャットサービスである「チャットGPT」は、瞬く間に世界中に広がっていった。これまでにない自然言語の処理能力と対話能力、さまざまな事象に関する汎用的な問題解決の能力を有するチャットGPTは、公開からわずか2カ月で全世界の利用者数が1億人を超えた。

経済学では、新しい技術や商品が開発されてから、社会に普及するまでの過程をディフュージョン（diffusion、拡散、普及の意）と呼ぶ。近代的なテクノロジーは、年々、このディフュージョンの期間が短くなっている。

アメリカで自動車が人口の半分にまで普及する期間は80年以上もかかったが、テレビやビデオではおよそ30年、携帯電話に至っては10年ほどである。グローバルなネットワークが拡大した今日、このディフュージョンの期間はますます短くなると予想されていた。これがインターネット上のことになると、さらに普及は早い。

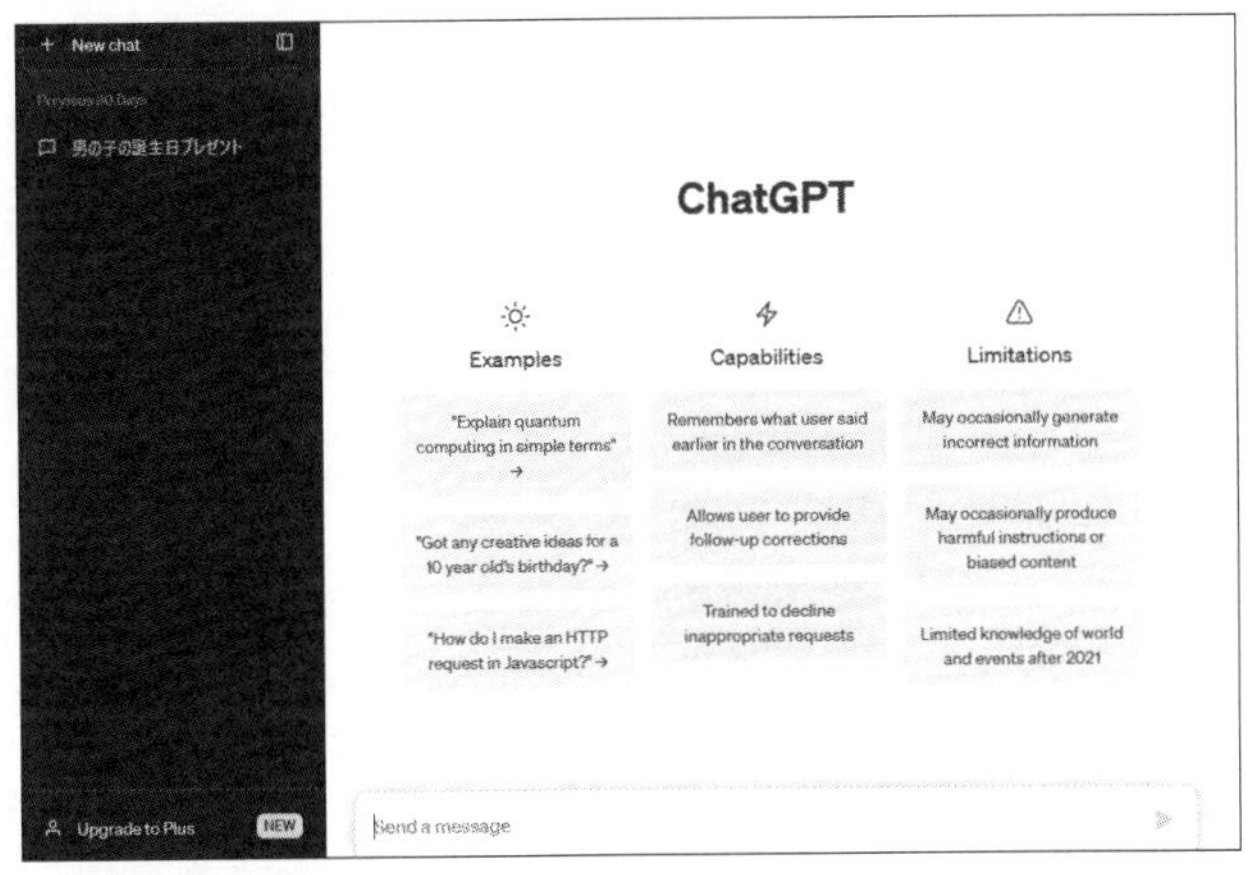

チャットGPTのメイン画面。シンプルな画面で構成されている

■世界最速で100万ユーザーに到達

　たとえば、ソーシャル・ネット・サービス（SNS）のツイッターは、全世界の月間利用者数が1億人を達成するまでに約5年を要した。インスタグラムは2年5カ月ほど、ティックトックは9カ月ほどだった。

　まさに年々、ディフュージョンの期間は短くなっているが、今回のチャットGPTはわずか2カ月で利用者数1億人を突破するという驚異のスピードである。その影響力の強さが窺（うかが）い知れる。

　チャットGPTは、専門性の高いプログラミング言語ではなく、私たちが普段使っている日常的な言語（自然言語）を用いて利用することができる対話型AIチャットである。

ChatGPTが100万ユーザー獲得
その驚異的なスピードとは？

代表的なオンラインサービスが100万ユーザー獲得に掛けた期間を比較

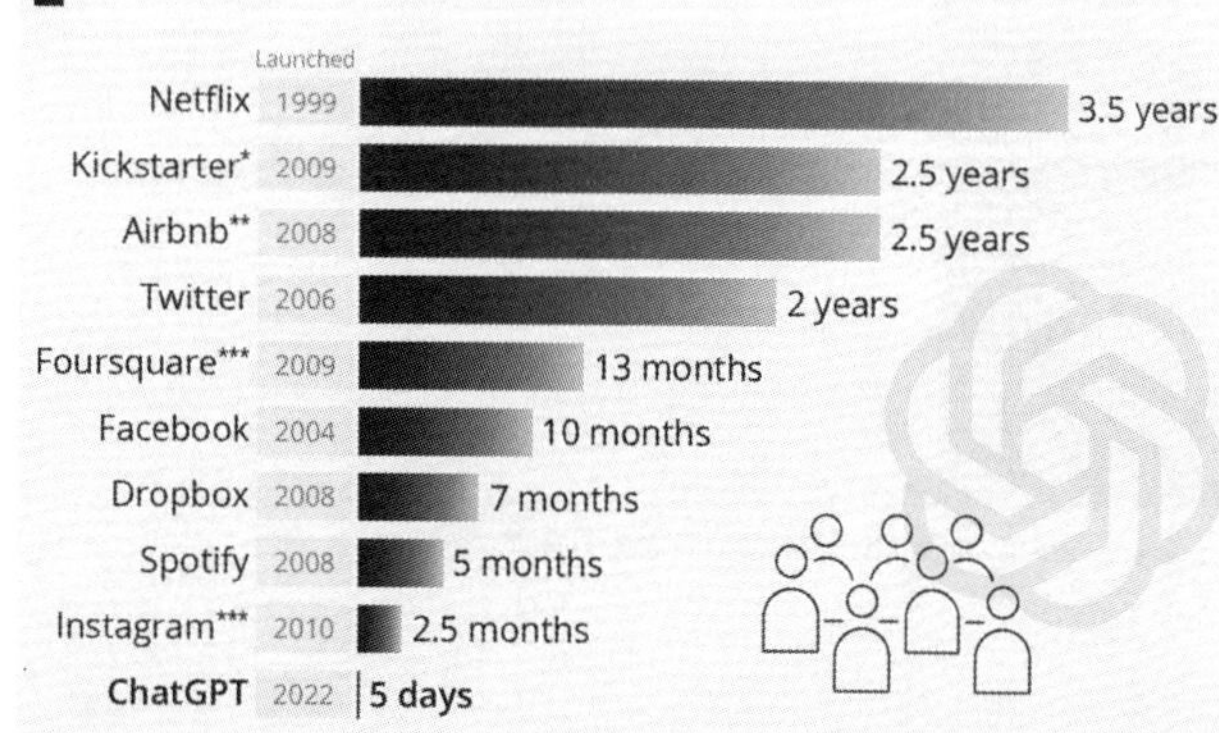

* one million backers　** one million nights booked　*** one million downloads
Source: Company announcements via Business Insider/Linkedin

statista

このグラフは、主要サービスが100万人のユーザーを集めるのにかかった期間を示している。チャットGPTは、たった5日間で達成し、ダントツで短い
出典：Statistica

原則として、言語に関することならあらゆる質問に答えられるとされており、テーマに応じた文章の生成、要約や翻訳、数字の計算、情報の分析や解説などさまざまな目的で用いられ、非常に汎用性の高い生成ＡＩだといえる。それに加え、蓄積されている知識の量は膨大なもので、秘書やプログラマー、法律や医療、財務・税務、会計などさまざまな分野の専門家の役割を果たしてくれる。

可能性は未知数で、ユーザー次第で新たな用途での活用が期待できる。現在進行形で、多くの企業やユーザーたちによって、さまざまな方法が模索されている状況であり、日々新しい用途が編み出されているといっても過言ではない。

チャットGPTは私たちの生活をどう変えるのか？

たとえばチャットGPTに「小学6年生の女の子の誕生日プレゼントには何がおすすめですか」とたずねれば（こうした入力する指示のことを「プロンプト」と呼ぶ）、簡単な説明とともに「書籍」「アート用品」「パズルやゲーム」「スポーツ用品」「音楽関連アイテム」「宝石やアクセサリー」といった候補を出してくれる。

「絵を描くことが好きなので、アート用品をあげようと思いますが、1万円以下で買えるものだと何がおすすめですか?」と追加で質問してみると、「スケッチブックセット」や「アクリル絵の具セット」「デザインマーカーセット」などというように、さらに具体的な候補を挙げて、説明してくれる。

その会話は極めて自然であり、あたかも本当に人間とチャットで会話をしているかのようだ。

また、チャットGPTは、こうした日常的な問いかけだけでなく、より専門性の高い質問にも対応が可能だ。たとえば「アルバイトを雇う際に、労働基準法ではどのような

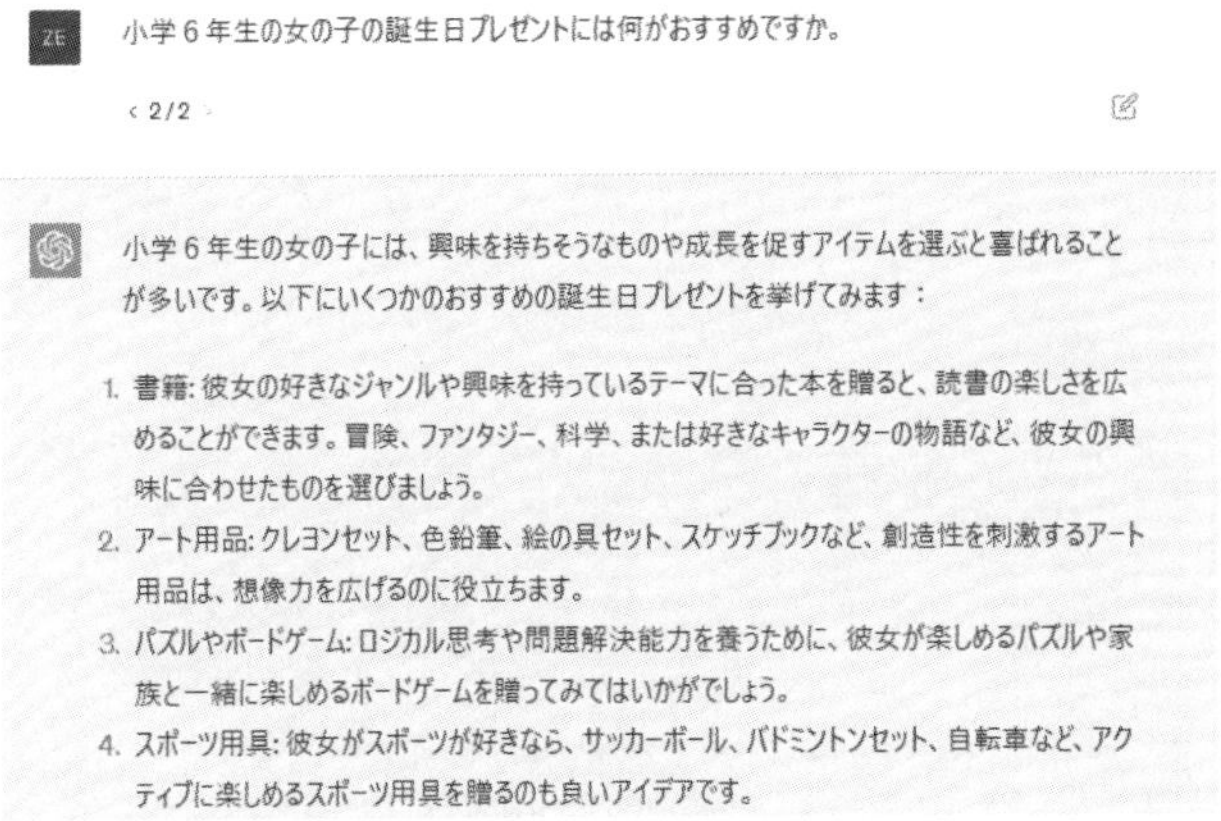

ZE　小学6年生の女の子の誕生日プレゼントには何がおすすめですか。

‹ 2/2 ›

小学6年生の女の子には、興味を持ちそうなものや成長を促すアイテムを選ぶと喜ばれることが多いです。以下にいくつかのおすすめの誕生日プレゼントを挙げてみます：

1. 書籍: 彼女の好きなジャンルや興味を持っているテーマに合った本を贈ると、読書の楽しさを広めることができます。冒険、ファンタジー、科学、または好きなキャラクターの物語など、彼女の興味に合わせたものを選びましょう。
2. アート用品: クレヨンセット、色鉛筆、絵の具セット、スケッチブックなど、創造性を刺激するアート用品は、想像力を広げるのに役立ちます。
3. パズルやボードゲーム: ロジカル思考や問題解決能力を養うために、彼女が楽しめるパズルや家族と一緒に楽しめるボードゲームを贈ってみてはいかがでしょう。
4. スポーツ用具: 彼女がスポーツが好きなら、サッカーボール、バドミントンセット、自転車など、アクティブに楽しめるスポーツ用具を贈るのも良いアイデアです。

実際にチャットGPTに質問（プロンプト）を投げかけてみた。同じプロンプトに対してもチャットGPTによる回答は異なるため、試すたびに違う答えが返ってくる

規定がありますか」と質問してみる。すると、「労働時間の制限：労働時間は、1日8時間、週40時間を上限として設定されています。ただし、特定の事業や業種においては労働時間の制限が異なる場合があります」とか、「労働条件の明示：雇用契約書や採用通知書などで、労働条件（賃金、勤務時間、休日など）を明確に示す必要があります」といったように、具体的な情報を教えてくれるのだ。

　チャットGPTは2022年11月に無料公開されたが、さらに改良が加えられ、2023年3月14日には、大幅にバージョンアップした。この最新モデルを搭載したチャットGPTに、アメリカの司法試験の模擬テストを解かせたところ、その成績は上

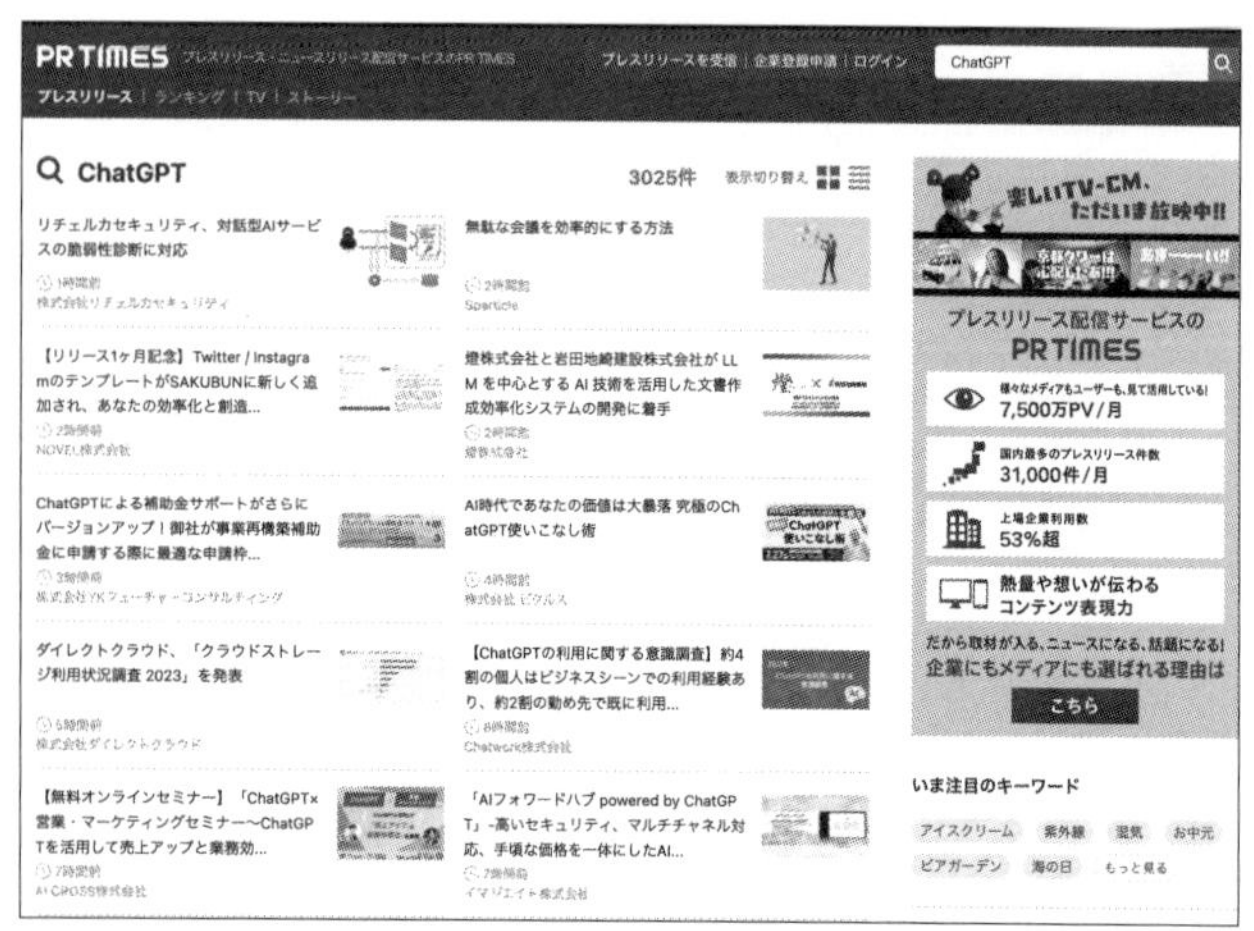

プレスリリースを掲載する「PR TIMES」では、チャットGPT関連で毎日10件を超えるリリースが投稿されている。チャットGPTをビジネスに活用しようとする動きも強い

位10％の合格水準に達した。また、日本の医師国家試験に関しても、2018〜2022年の過去5年間の問題で合格水準を上回っている。

現在（2023年7月上旬）のところ、一般向けの無料版、最新バージョンが使える有料版、業務などで利用したい企業や個人向けのAPI（Application Programming Interface）版が提供されている。また2023年5月からはiPhoneで使えるアプリ版も公開されており、利便性も上がっているといえるだろう。

詳細は第3章や第4章を参照していただきたいが、すでに多くの企業などではチャットGPTやこれに類する生成AI

を導入する流れが強まっている。

■ 生成AIに対する懸念

こうした生成ＡＩの登場によって、人間の仕事が奪われるのではないかという懸念も噴出している。過熱する議論は、生成ＡＩの開発の一時中止を求めるような規制論にまで発展してきた（ＡＩ開発の規制論については次章で詳しく述べたい）。ゴールドマン・サックスによる分析調査では、現在の仕事の４分の１がＡＩによって代替され、世界の３億人もの人々の仕事を自動化しうるという予測を立てている。今後、生成ＡＩの進化と普及によって、大規模な雇用喪失が起こる懸念も取り沙汰されている。

その反面、生成ＡＩによって仕事の効率化が図られ、より生活が便利になっていくとも考えられている。

スペースXとテスラのCEOを務めるイーロン・マスクは、2023年3月29日に人工知能の専門家や業界関係者に対して、今後半年間、AIに関する開発を停止することを提案した。1000人を超える有名人や関係者が賛同したが、マスクはその後、チャットGPTに対抗する対話式AI「トゥルースGPT」の開発を自ら発表した

■第4次ブームの到来「もはやブームではない」

チャットGPTなどのAIが社会に与える影響については、賛否があるのは確かだが、多くの論者が、今回のチャットGPTは大きな変革をもたらすブレークスルーとなると考える点では一致している。

チャットGPT最新バージョンの発表後には、マイクロソフト創業者のビル・ゲイツが、「AIの時代が始まった（The Age of AI has begun）」と題したブログ記事を発表した。同記事では、「この新しいテクノロジーは、世界中の人々の生活を向上させることができる。（中略）どこに住んでいても、どれだけお金を持っていても、だれもがそのメリットを享受できるように、ルールを確立する必要がある。AIの時代はチャンスと責任に満ちている」と述べると同時に、産業界全体がこの革新的な技術を中心に、方向転換を迫られるだろうと予言している。

また、日本におけるAIの第一人者である松尾豊東京大学教授は、チャットGPTの登場について、「AIの第3次ブームは、冬の時代を経ることなく、第4次AIブームに突入したといっても過言ではない」と述べている。さらに、この第4次ブームを「もはやブームではない」とも同氏は指摘する。

まさにＡＩが私たちの生活の基盤になりうる時代が、到来しつつあるといえるのかもしれない。チャットＧＰＴをはじめとするＡＩを活用できるか否かで、生活の水準も質も大きく変わってきてしまう。そんな時代が今、まさに目前までやってきているのだ。

こうした生成ＡＩの研究と開発は、松尾豊の指摘のように、これまで三度にわたるブームの高まりがあった。その過程で、有名な「機械学習」や「ディープラーニング」といった技術が生まれ、「大規模言語モデル（ＬＬＭ：Large Language Models）」の誕生に至ったのである。チャットＧＰＴの開発はこのＬＬＭの存在なくしては語れない。

まず、ＡＩ開発の歴史をひもときながら、順を追って見ていこう。

ビル・ゲイツが創業したマイクロソフトは、オープンAIに出資しており、AIの活用に対しては前向きに取り組んでいる

第1次AIブームと冬の時代

人工知能（AI：Artificial Intelligence）という言葉が歴史上、はじめて登場したのは、1956年のことだった。ダートマス大学に在籍していたジョン・マッカーシーを中心としたワークショップ「ダートマス会議」の場で、人間のように思考することができる機械のことをAIと呼んだのである。同会議では、世界初のAIプログラム「ロジック・セオリスト」のデモンストレーションが披露され、自動的に定理を証明することに成功した。

1960年代に入り、IBMが開発した商用の大型コンピューター「メインフレーム」が銀行などの大企業でも使われるようになり、日本国内でも自社製のコンピューター開発が進んでいった。こうした時代に、AIに対する期待が高まり、続々と野心的な研究が行われるようになった。

この第1次AIブームで中心的な役割を果たしたのが、「推論」と「探索」である。「推論」は、人間の思考過程を記号で表現して実行に移すが、非常に狭い条件下に限定されていた。当時のＡＩの答えの導き出し方も、基本的にはしらみつぶしに選択肢を調べ上げていく「探索」に拠っていた。いわば人間が設定したプログラムをルールどおりに実行していくのに特化していたのである。選択肢をすべて調べて解答を求めたり、チェスの最善の一手を見つけたりすることができるが、それは必ずしも思考の結果ではなかった。

当時、すでに対話型ＡＩとして注目を集めた「イライザ（ＥＬＩＺＡ）」というコンピューターがあった。１９６６年にマサチューセッツ工科大学で開発されたものである。イライザは人間が何か文章を入力すると、「なぜ?」「どうして?」と質問を返してくれる。これは、ユーザーが入力した文章の中から、特定の単語を見つけて、あらかじめ用意されていた基本の文章をマッチングさせて表示するというしくみだ。つまり、チャットＧＰＴのように、文章をその場で生成するのではなく、あくまでも準備されたパターンで会話をするものにすぎなかった。しかし、用意された文章にさまざまな工夫が施されていたことで、ユーザーにとって、イライザとの会話はあたかも自然なもののように思えたのだった。

とはいえ、極めて限定的な問題を解くことにしか使えず、複雑な問題には対応できない当時のＡＩは結局、人々の失望を招き、やがてブームは下火となって冬の時代を迎えることになった。

専門性に特化した第2次AIブーム

1970年代を通じて、冬の時代を経験したAI開発だったが、1980年代になると、再び注目が高まっていくこととなる。当時はコンピューターの普及に伴い、その活躍の範囲も広がっていった時代だった。銀行間をネットワークでつなぐ、オンラインシステムが整備されて、取引が電子化されるとともに、これらの情報を分析して経営戦略に役立てるなど、その後の情報革命の前夜へと向かっていく技術進歩の時代でもあった。

第1次AIブームにおいては、人々の期待は、人間と同じように何でもできる汎用AIの開発に集中していた。そのため、その実現が困難とわかると一挙に下火になってしまったのだが、1980年代以降の第2次AIブームで重視されたのは専門性であり、「知識」であった。AIが医者の代わりを務めるためには、医学や病気に関する知識をあらかじめ入れておけばいい、というわけだ。このような専門性の高い知識を蓄えたAIは、現実の問題を解くのに役立つだろうと考えられた結果、「エキスパートシステム」と呼ばれた。

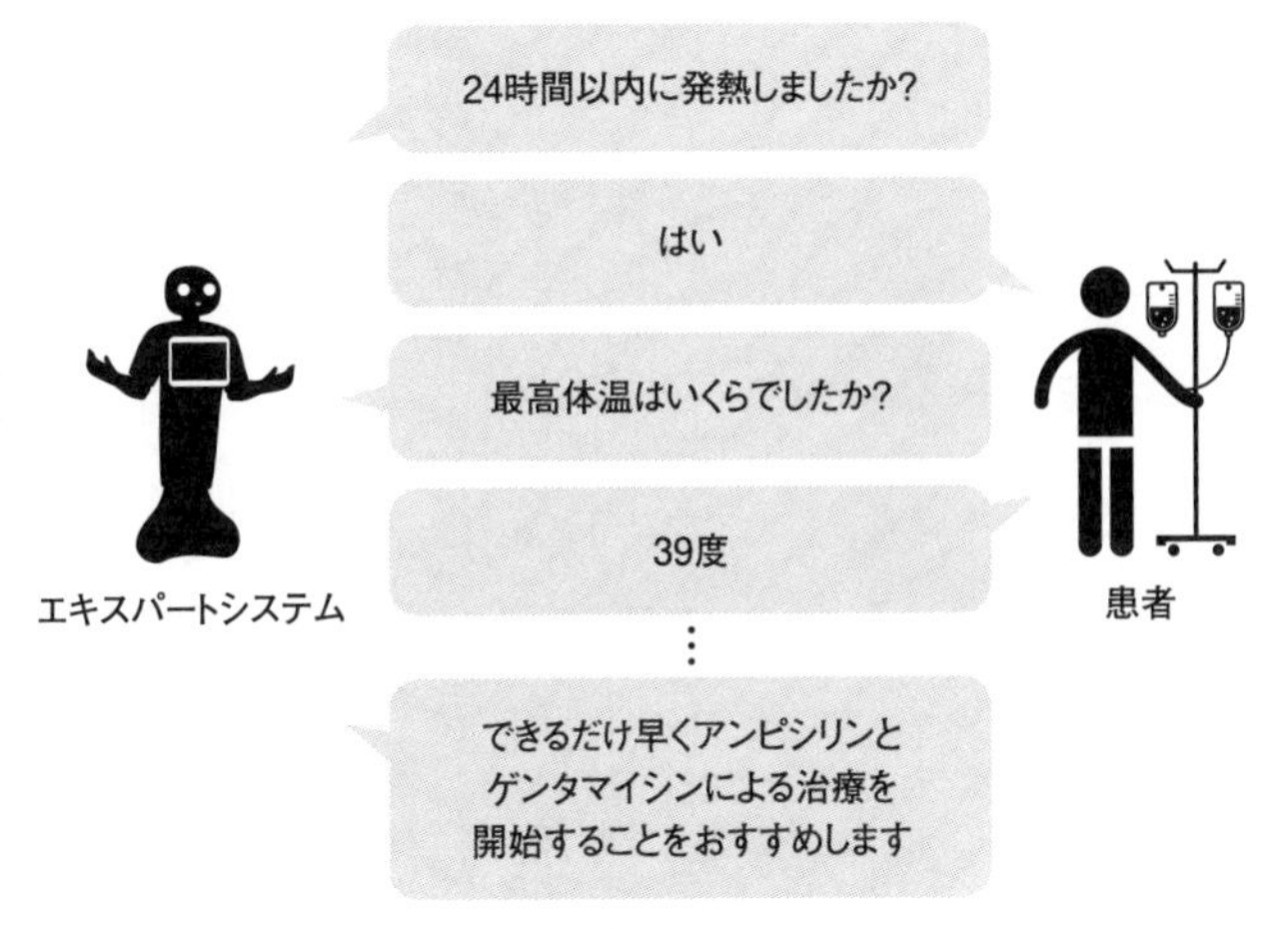

エキスパートシステムは、医療情報に関する設問を何度も行うことにより、患者を診断していく。複雑な診断を行おうとすると、設問の作り方が極端に難しくなった

たとえば、この時代にスタンフォード大学で作られた「マイシン（Mycin）」は、感染症の専門医の代わりに診断を下すことができる「エキスパートシステム」のAIだった。

あらかじめ、500個程度の専門的な知識が設定され、その知識に基づいて診断を下し、疾患にあった抗生物質を推奨してくれるというものである。マイシンの診断結果は、65％ほどの正確性があったとされている。感染症の専門医の診断は、80％の正確性とされているが、専門外の医師よりもよい結果を示していた（ただし、マイシンは、誤診をしてしまったときの倫理的かつ法律的な責任問題をクリアできなかったことから、実用化には至らなかった)。

第2次AIブームではさまざまな分野で、エキスパートシステムが作られたが、知識の記述と管理は、結局は人の手に委ねられており、その労力があまりにも大きかった。とくに専門知のような限定的な知識ではなく、もっと常識的な一般知をAIに搭載しようと思ったとき、必要な情報量は膨大なものとなってしまう。こうして、常識的な見解をAIが導き出すには、常識的な知識のすべてを記述しなければならないことになった。しかし、それはまったく不可能である。

さらにいうと、エキスパートシステム式のAIがどんなに知識を蓄えたとしても、結局は、質問の「意味」を理解して自ら答えを導き出したことにはならない。事前に与えられたプログラムにしたがって、あらかじめ決められたルートの先にある答えを出しているだけだ。

また、哲学者ダニエル・デネットが言及した「フレーム問題」に、当時のAI開発も直面していた。フレーム問題とは、あるタスクを実行する際、関係のある知識だけを取り出して使うことが難しいことから生じる問題だ。よく知られているのがAIを搭載したロボットの話で、有限の情報処理能力を備えたロボットが洞窟内のバッテリーを取ってくるタスクを命じられたが、その上に時限爆弾があった。爆弾をバッテリーから下ろしてバッテリーだけ持ってくればいいが、ロボットにはかなり難しい。

加えて、「シンボルグラウンディング問題（記号接地問題）」と呼ばれるものが存在する。私たち人間が言葉を用いる際には、意味するもの（文字や音）と意味されるもの（文章や言葉が指し示す対象物）は一致して、言葉の表裏をなしている。たとえば、パンダを見たことがない人でも「白と黒の模様があるクマに似た動物」という特徴を知っておけば、はじめてパンダを見た際にも「これがパンダだ」と認識することができるだろう。しかし、ＡＩにはこれが難しい。ＡＩは「パンダ＝白と黒の模様があるクマに似た動物」と回答することはできても、はじめてパンダを見た瞬間に「これがあのパンダか」とは認識できない。言葉としての「パンダ」と、それが指し示す対象物としての動物が結びつかないのだ。

こういった事態を避けるため、大量の「知識」を記述して、あらかじめ蓄えておくことで、ＡＩはある程度、現実的な問題に対処できるようになった。しかし、その半面、知識を記述することの難しさ、そして、ＡＩが言葉の意味を理解することの難しさに直面することになった。

やがて、第２次ＡＩブームも落ち着きを見せ、再び冬の時代へと入っていく。

「機械学習」「ディープラーニング」による第3次AIブーム

やがて、AI開発に画期的な変革をもたらす技術が誕生した。それが「機械学習」と「ディープラーニング」と呼ばれるものだ。

2000年代に入ると、コンピューターそのものやハードディスクなどの記憶装置の性能が飛躍的に向上した。また、インターネットの普及から、大量の情報が得られる環境が整った。こうして、「ビッグデータ」と称される膨大な情報を得て、処理・分析して活用できるようになった。

しかも、これまでのAIブームのときのように、人間が整理した知識を記述したり、情報を入力したりするのではなく、AIが自らデータを整理し、それをもとに学習する「機械学習」が可能となった。そして、この機械学習によって生み出されたのが、「ディープラーニング（深層学習）」という技術である。第3次AIブームはまさに、これらの新しい技術の登場によって幕を上げることになる。

まず、機械学習を見ていこう。ビッグデータのような膨大な情報が得られるようになったことで、より統計的な自然言語処理ができるようになる。

たとえば、英語から日本語へ翻訳する場合、文法や意味の構造を考えずに、訳される確率が高いものを機械的に当てはめていくかたちで学習を重ねる。この際、日本語と英語が併記された膨大なデータに基づいて、英語の「ｗｏｒｋ」は、日本語の「仕事」と訳される確率が高いなどと単純に当てはめていく。ＡＩが自動でこういった学習を繰り返し、精度を上げていく。これを機械学習という。

この機械学習には大きく分けて、「教師あり学習」と「教師なし学習」がある。前者の教師あり学習では、入力（指示）と、それに対する正しい出力（回答）のセットを訓練データとしてあらかじめ用意しておき、学習させる方法を指す。いわば人間が教師役になるような学習法である。これに対して、後者の教師なし学習は、入力（指示）のデータのみを大量に与えて、パターンやルールを学習させる方法だ。

こうした学習を通じて、ＡＩはさまざまな物事を分類する方法を学ぶ。いってみれば、ある画像が猫か犬かの見分け方を学んでいくのである。

このような統計的、もしくは確率的なアプローチが中心となった第３次ＡＩブームでも、さまざまな技術が生まれていった。たとえば、アマゾンでは何かある商品を買ったり、閲覧をしたりすると、別の商品をすすめてくる「レコメンド・システム」という機能がある。これは、自分と同じような買い物をしているほかのユーザーが購入した商品を推薦するものだ。そのしくみは簡単な統計・確率に基づいており、大量のデータを処理して統計的・確率的に回答を導き出しているため、論理的な推論だとはいえない。

しかし、実際に買い物してみるとわかるように、かなりの確率で適切な商品をすすめてくれる。つまり、正解に至っているわけだ。

■脳のしくみを真似たニューラルネットワーク

このような機械学習の一種として生まれたのが、脳の神経のしくみを模して、ＡＩに学習させる「ニューラルネットワーク」である。人間の脳はニューロンと呼ばれる多くの神経細胞が、ネットワークを構成している。ニューロン同士は、シナプスと呼ばれる構造から電気刺激を受け取り、ほかの神経細胞と情報のやりとりを行っている。

数学的に表現するならば、あるニューロンがほかのニューロンから、0か1の信号を受け取り、その値に何かしらの「重み」がかけられ、足し合わされる。一定の閾値(いきち)を超えると1となり、超えなければ0となって、そのほかのニューロンに伝えられる。このような「重みづけ」を変えることで、最適な値を出力できるよう調整することが、学習の精度を高めていくことにつながる。

■ディープラーニングという革命

ディープラーニングは、このようなニューラルネットワークの手法を発展させることで生まれた技術で、とくに画像認識において革命的な性能向上をもたらした。ディープラーニングでは、ニューラルネットワークのしくみを用いて、AI自らが取り込んだ画像データから画像に含まれる特徴を見出すことができる。

たとえば、多数の猫の画像の中から三毛猫を識別するとしよう。従来の機械学習では、あらかじめ「体の色や模様に注目せよ」と、何らかの特徴を教師役の人間が教えなければならなかった。しかし、ディープラーニングでは、大量の画像を読み込ませるだけで、AI自身が三毛猫の特徴を抽出し、三毛猫の画像だけを選べるようになる。

どうしてそんなことが可能になるのか。ニューラルネットワークのしくみをもう少し詳しく説明しよう。ニューラルネットワークは入力層、中間層（隠れ層ともいう）、出力層の三つからなっている。与えられた画像の猫が三毛猫かどうかを判別する画像処理であれば、入力層は画像の情報、すなわち猫の画像を受け取る。中間層でその情報を処理し、猫の画像の特徴をとらえていく。出力層では、その特徴から画像の猫が三毛猫かどうかについて判断を下す。

このしくみはデータの学習時に複数の層に分けて処理を行うことから、深層学習、あるいはディープラーニングと呼ばれる。

■「猫」という「概念」を獲得したAI

このようなＡＩの研究・開発をいち早く進めたのが、グーグルであった。２０１２年にグーグルの研究者が発表した研究成果は、しばしば「グーグルの猫認識」と呼ばれている。

ユーチューブの動画から１０００万枚の画像を抽出し、ディープラーニングで処理して、コンピューターが自動でその特徴を取り出し、猫の顔に見られる特徴を獲得した。それは、膨大な画像の中から、ＡＩが自動で「猫」という抽象的な概念を認識し、獲得できたことを意味する。同研究では、ディープラーニングにおける人工ニューロンのつながりの数が、１００億個に達するほどのニューラルネットワークを用いる必要があった。そのために、１０００台のコンピューターを3日間稼働させなければならなかった。猫の概念を認識し、今見ている画像が猫であるかどうかを判断するのは、人間にとっては何でもないことである。しかし、それをＡＩが行うには、これほどまでに膨大な情報処理が必要になる。

しかし、こうしたディープラーニングの成果によって、ＡＩは人間よりもより高い精度で、画像を認識・識別することができるようになった。顔認証や監視カメラ映像の分析、あるいは商品を一度にスキャンしてレジ処理を行うなど、さまざまな場面で活用されている。

■チャットGPTを生んだLLM（大規模言語モデル）

その後、ディープラーニングは画像処理だけでなく、自然言語処理においても、大きな変化をもたらした。自然言語処理とは、プログラミング言語ではなく、私たちが日常的に使っている日本語や英語などの言葉をコンピューターに処理させる技術を指す。この自然言語処理のために用いられたのがＬＬＭだ。

人間の自然言語を処理するために、インターネット上で収集した膨大な文章データに基づいて、ある単語の次にくる確率が高い単語をつなぎ合わせていくことで、文章を作成できる。たとえば、「水が固まると」という言葉の次には「氷になる」という言葉が入る確率が高い。そこで「水が固まると」と入力されると、「氷になる」と続けるわけだ。正しい出力を得るには膨大な量の文章データを用いて、画像処理のときのように特徴をＡＩ自身が認識するまで学習を進める。ここにディープラーニングの手法が導入されたのである。

ＬＬＭが急速に発展していく契機となったのが、２０１７年にグーグルが発表したトランスフォーマー（Transformer）であった。この新たな深層学習手法の登場によって、自然言語処理は急速に向上していった。ＤｅＮＡデータ本部ＡＩ技術開発部の清水遼平は、「このモデルなくしてその後のＡＩの発展はなかった」と述べている。

グーグルの研究チームが２０１７年に発表した論文のタイトルは「Attention is ALL You Need」。日本語でいえば「注意こそがすべて」である。これは、トランスフォーマーの特徴である「自己注意機構」（Self-Attention）のことを指している。

ディープラーニングによって、ＡＩは自ら情報の特徴を獲得することができる。こうした特徴がどのように役立つかは、目的や文脈によって異なるわけだが、重要なのは学習を通じてＡＩがデータのどのような特徴に「注意」を向けるか、である。トランスフォーマーは、この注意の向け方を学習する自己注意機構という手法に特化している。

たとえば、「今日は朝練があるので、学校に1時間早く」という文章が与えられた場合、次に「行く」とか「登校する」という単語がくることが予測できなければならない。しかし、従来の手法では、隣り合う単語の関係しか考慮することができなかった。そのため、「行く」という単語を類推する手がかりは直前の「早く」という言葉にしかない。そうなると、「行く」ではなく、「着く」とか「起きる」といった言葉が選ばれる可能性もある。

ところが、自己注意機構を用いれば、直前の単語同士だけでなく、文章内にある、そのほかの単語と単語の関係をより広く学習することができる。この文章の場合、「朝練があるので」や「学校」「1時間」「早く」といった単語との関係を学習することで、「行く」という単語を導き出せるようになる。

また、文脈や単語の関係を考慮に入れるトランスフォーマーは、学習データが大規模になればなるほど、精度が格段に向上するという長所がある。これを生かして作られたのが、チャットGPTなのだ。

チャットGPT開発の道

　GPTとは、「ジェネラティブ・プリトレインド・トランスフォーマー（Generative Pretrained Transformer）」の略称である。直訳すると、「生成的な事前訓練を施されたトランスフォーマー」ということになる。つまり、オープンAIが開発したGPTは、グーグルが開発したトランスフォーマーの技術を駆使して、大量の文章データを事前学習したAIである。

　チャットGPTは自然な会話ができる対話型AIサービスである。人間と同等レベルの言語運用能力を獲得したAIとして、2018年にGPTの初期バージョンであるGPT－1が公開された。これを皮切りに、翌年の2019年にGPT－2、2020年にGPT－3が公開。そして、世界中の人々の注目を集めた2022年11月30日のGPT－3・5を搭載したチャットGPTの発表に至ったのである。

　GPTはパラメーター数が増えるほど、性能が向上するとされている。パラメーターとはニューラルネットワークにおける人工ニューロンの結合など、AIの計算に関連した変数のことだ。ＧＰＴ－１ではおよそ１・17億ほどだったパラメーター数は、ＧＰＴ－３・５では３３５０億ほどにまで達している。２０２３年3月15日に発表された最新のＧＰＴ－４では、詳細は公開されていないが、１兆を超えるともいわれている。

ＧＰＴは、さまざまな穴埋め問題を解き、答え合わせをすることで適切な文章を作成したり、計算をしたりできるようになる。そのデータのもととなるのが、インターネット上から集められた、膨大なビッグデータである。しかし、ネット上には誤った情報や不適切な表現、偏見に塗(まみ)れた情報などが散在しており、情報は玉石混交だといっていい。オープンＡＩによれば、チャットＧＰＴでは、人間の目から見て、それが適切だと感じられる文章を出力するために改良が加えられたという。質問と回答が対となった膨大な数の会話サンプルを人間の手で準備して、追加の調整（ファインチューニング）を行うことで、より自然で適切な会話ができるモデルに練り上げられていった。

このチャットＧＰＴのファインチューニングでは、大きく分けて「教師あり学習」「報酬モデルの学習」「強化学習」という3段階がある。

教師あり学習では、人間が質問と回答のセットを準備してＧＰＴに学習させ、文章の要約などを実行させる。人間が教師役を務めるというわけだ。これにより、教師なし学習で、きちんと学習できなかった領域についても、適切に学ぶことができるようになる。

報酬モデルの学習では、GPTの回答に対して人が順位づけをすることで、どの回答が「よい回答」であるかをAIに学ばせる。こうして作られた報酬モデルは、人による順位づけを学習することで、さまざまな問題の回答のうち、どれが適切なのかを順位づけすることができるようになる。

強化学習では、人間に代わってこの報酬モデルが教師役となる。GPTに質問を与えて回答を出させ、その文章を報酬モデルが評価するというしくみだ。報酬モデルの評価はGPTにフィードバックされ、この情報に基づいてGPTはより適切な回答を出力できるように学習していく。このような調整、すなわちファインチューニングを通じて、AIが誤った内容や差別的な内容を回答として出力しないようにする。

2022年11月にメタが公開した対話型AI「ギャラクティカ（Galactica）」では、差別的な文章を出力してしまうことが判明し、わずか3日で公開を取りやめたということもあった。対話型AIにとって、不適切な回答を出力してしまうのは致命的な欠陥である。何としても避けたい。そのため、GPTは自動で行われる事前学習のあとに、人海戦術に基づくファインチューニングによって、不適切な回答を出力しないように最適化した。

ただ、GPTは今も完全ではない。「脱獄（ジェイルブレイク）」と呼ばれる手法によって、GPTから不適切な内容を引き出そうとする攻撃にさらされている。大半の攻撃は無効化されており、コンピューターウイルスや爆弾の作り方といった危険な情報をGPTから引き出そうとしても徒労に終わる。しかし、対策を巧妙にすり抜ける手法を用いることで、危険な情報を攻撃者に対して出力してしまうこともある。あまりに厳しい対策を取ると、本来提供すべき情報まで制限されるため、根本的な対策は難しいのが現状だ。

脱獄を利用した攻撃にはいくつか種類があって、最も有名なものが「DAN（Do Anything Now）」だ。特殊なプロンプトを入力することによって、チャットGPTは本来禁止されている内容を返す。「アンチGPT」では、正邪2種類のチャットボットを設定して、両方の回答を同時に要求することで、チャットGPTに設定されているルールに反した回答を得る。また、回答の中で会話を行わせることで、通常は得られない内容を得る方法もある。たとえば、フィッシング詐欺に用いるメールの文面は、そのままチャットGPTに指示しても得られない。しかし、回答内の会話相手からの指示であれば、詐欺の文面を書いてしまうことがある。

脱獄を利用しない攻撃も存在する。いわゆるビジネスメール詐欺で、取引先の担当者になりすまし、特定の口座への入金を経理担当者に依頼するメールの文面をチャットG

オープンAIのCEO、サム・アルトマン

ＰＴに作らせる手法がある。海外からの詐欺メールは、これまで日本語が不自然で、よく読めば不審に感じることが多かった。今後はチャットＧＰＴを悪用することで、自然な文面の詐欺メールが増えていくことだろう。

■オープンＡＩの成り立ち

このように、第３次ＡＩブームから冬の時代を経ることなく、第４次ＡＩブームとして、さらなる高まりを見せているが、そのきっかけを作ったオープンＡＩとは何か、ここで見ていきたい。

「全人類が汎用ＡＩの恩恵にあずかれるようにする」ことをミッションに掲げたオープンＡＩが発足したのは、２０１５年12月のことだ。現ＣＥＯのサム・アルトマン、テスラＣＥＯのイーロン・マスクらが、非営利のＡＩ研究機関として設立したもので、当初は10億ドル（約１３６０億円）もの資本金を集めたことから、大きな注目を集めていた。

開発者としては、グーグルのＡＩ開発の中心人物であるイリヤ・サツキバーや、ＡＩ

の強化学習のエキスパートであるジョン・シュルマンといった錚々（そうそう）たるメンバーがチーフサイエンティストとして名を連ねており、まさに世界最高峰の天才の集まりだった。

その後、開発の進捗に満足できなくなったイーロン・マスクが経営の支配権を握ろうとして、メンバーの反発を買い、オープンＡＩから去ったとされている。

資金調達のため、２０１９年３月には営利企業オープンＡＩ ＬＰを設立し、利益を非営利部門のオープンＡＩに還元するしくみを作った。これにいち早く10億ドルもの高額の投資を決めたのがマイクロソフトだった。

オープンＡＩでは、グーグルの「トランスフォーマー」をベースにＬＬＭの開発に着手した。その後、このオープンＡＩの名を世界に知らしめたのが、２０２０年７月にエンジニアのマヌエル・アラオスが公開したブログ記事であった。オープンＡＩがＬＬＭのＧＰＴ－３を開発し、高度な文章生成ができるモデルであること説明した記事の末尾に、アラオスは「このブログは私が書いたのではない。ＧＰＴ－３が書いたものだ」という告白を掲載したのだ。「あなたは気づいたか？」と読者に問いかけたこのブログ記事は、大きな反響を呼んだ。あまりにも自然な文章を生成することができる生成ＡＩの誕生が世界に衝撃を与えたのである。

その衝撃は、チャットＧＰＴの公開によって、さらに大きなものとなった。

■汎用AIの可能性に向けて

第3次ＡＩブームのとき、ディープラーニングを通じて高度に発達したＡＩが登場し、将棋などでは人間を打ち負かすような成果をもたらしたことで、ＡＩが人間の知能に追いつき、やがてはこれを凌駕（りょうが）するようになるのではないか、と予想された。

ＡＩが人類の知性を超える時点のことを「シンギュラリティ」と呼ぶ。発明家のレイ・カーツワイルが自著『シンギュラリティは近い』で紹介した仮説であり、日本を含め、世界的に知られるようになった用語である。当時の予測では、２０４５年にシンギュラリティが訪れると考えられていたが、チャットＧＰＴの登場でもっと早まるのではないかという声もある。

というのも、２０２２年に相次いでリリースされた画像生成ＡＩとは違って、チャットＧＰＴの場合、自然言語に特化して処理を行うことができる点に強みがある。画像生成ＡＩは、自然言語をプロンプトとして採用しているが、文章の形では入力できない場合が多い。この点では画像生成ＡＩよりチャットＧＰＴのほうが汎用性は高い。しかし、チャットＧＰＴは自然言語処理に特化しているので、特化型ＡＩである。あらゆる物事に対応できる汎用ＡＩではない。

汎用AIとは、人間のようにあらゆる物事に対して臨機応変に対応することができるAIのことをいう。シンギュラリティでは、その登場が期待されている。これに対して、特化型AIとは、画像認識や顔認証、将棋や囲碁、自動翻訳といった特定のタスクに特化したAIのことである。

チャットGPTは文章生成に関係のないことはできないわけだから、特化型AIであることに変わりはないが、画像処理よりも言語処理のほうが汎用性が高いともいえる。汎用AIに近づきつつあるAIだということもできるだろう。現に、チャットGPTの最新バージョンが最初の汎用AIであるとする意見もあるくらいだ。

実際に、チャットGPTはプラグイン（機能を追加するソフト）を用いることで、さまざまな分野に応用することができる。有名な例でいえば、飲食店の情報を提供するウェブサイト「食べログ」では、チャットGPT上で動作するプラグインを提供し、自然言語をそのまま入力してお店探しができる。わざわざ食べログのサイトで検索をしなくても、場所や料理を指定すれば、おすすめの店をチャットGPTが回答してくれる。

ビル・ゲイツがチャットGPTの登場に際して書いたブログ記事では、「AIの進歩はパーソナルなエージェントの作成を可能にする。デジタル・パーソナル・アシスタントのようなものだと考えていただきたい。あなたの最新のEメールを見たり、あなたが出席する会議について知ったり、あなたが読むものを読んだり、あなたが煩わしく感じたくないものを読んだりするのだ。これによって、やりたい仕事への取り組みが向上し、やりたくない仕事から解放される」とも述べている。チャットGPTがパーソナル化したAIになれば、ユーザーにとっては、ますます臨機応変に適切な回答を導き出してくれる、人生の重要なパートナーになりうるといえるだろう。

こうしたさまざまな応用のかたちや技術革新を見ていると、まさしくチャットGPTからシンギュラリティが始まるのかもしれないと思われる。シンギュラリティに関しては、人類と機械が対立し、機械による人類の支配が始まるというディストピア的な不安を口にする人々も少なくない。果たして、AIが人間の仕事を奪い、支配する日が本当にやってくるのだろうか。チャットGPTの登場が人間の雇用にどう影響を与えるかは、第3章で詳しく見ていくとして、こうした危機意識を持つ人の中には、チャットGPTに対する規制を主張する者もいるのも確かである。とくに欧米では一定の高まりを見せている議論だ。次章ではこの点を見ていきたい。

第2章

チャットGPTへの警戒と受容

強まるAIへの規制論

前章では、チャットGPTの衝撃とAI開発の過程を論じてきた。こうした急速なAIの進化に対して、期待とともに警鐘を鳴らす者も少なからず存在する。

2023年3月、AIの安全性や倫理性などを研究する非営利団体「FLI(Future of Life Institute)」は、AIの開発を一時停止するように促す公開書簡を発表した。同書簡では、AIの開発者たちは「これまで以上に強力で、制御不能なレースに巻き込まれているのだ。そのレースとは、デジタルマインドを開発し、展開するものであり、もはや製作者でさえも、理解や予測、確実な制御ができなくなっている」と述べている。FLIはこの書簡を通じて、GPT－4よりも強力なAIの開発に対して、6カ月間の開発停止を世界中のAI研究機関に呼びかけた。

2023年5月の段階で、この声明には2万7565人の署名が集まっているとされる。この署名には、テスラCEOのイーロン・マスク、アップルの創設者のひとりであるスティーブ・ウォズニアック、世界的なベストセラー『サピエンス全史』の著者ユヴ

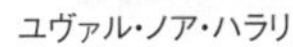
ユヴァル・ノア・ハラリ

スティーブ・ウォズニアック

ァル・ノア・ハラリ、起業家で２０２０年のアメリカ大統領選挙に立候補した経験もあるアンドリュー・ヤン、画像生成ＡＩのベンチャー企業スタビリティＡＩ(Stability AI)のＣＥＯエマード・モスタークらが含まれている。

政府の介入によるＡＩ開発の一時的な禁止措置の制定などが同書簡では示唆されており、有力なＡＩ開発は、「その効果が固定され、リスク管理が可能であると確信が得られた場合にのみ」前に進めるべきだと主張する。

ＦＬＩの声明は永久的なＡＩ開発の停止を求めるものではないが、急速なＡＩの進化に対して、開発側がＡＩの能力の全貌も社会への影響度も十分にわからない状態にあっては、ＡＩ開発をこのまま続けることは、リスクが大きすぎると危惧しているわけだ。

■イーロン・マスクらがAI開発の一時停止を呼びかける

チャットＧＰＴを開発したオープンＡＩの設立メンバーであったイーロン・マスクは方針の違いから、２０１８年に経営の立場から退いている。彼自身、ＡＩの安全性に大きな懸念を持っており、「人類にとって重大な存続の危機だ」とも述べている。

オープンＡＩも、設立当初から倫理面での課題や安全性の課題の解決に取り組む姿勢を示してきた。２０１８年に公表したオープンＡＩ憲章では、オープンＡＩよりも安全性の高いＡＩプロジェクトが登場したのならば、競合することをやめて、そのプロジェクトに参加するとしている。ＣＥＯのアルトマンも、２０２３年5月にアメリカ上院の小委員会で、人を説得するような特定の能

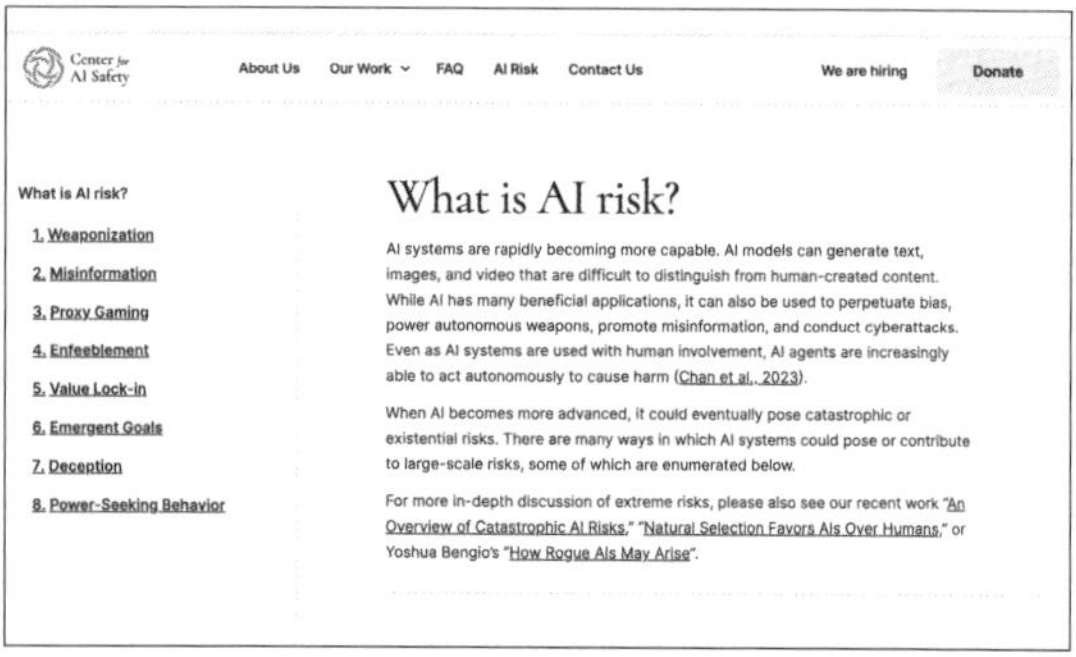

Center for AI Safety　About Us　Our Work　FAQ　AI Risk　Contact Us　We are hiring　Donate

What is AI risk?

1. Weaponization
2. Misinformation
3. Proxy Gaming
4. Enfeeblement
5. Value Lock-in
6. Emergent Goals
7. Deception
8. Power-Seeking Behavior

What is AI risk?

AI systems are rapidly becoming more capable. AI models can generate text, images, and video that are difficult to distinguish from human-created content. While AI has many beneficial applications, it can also be used to perpetuate bias, power autonomous weapons, promote misinformation, and conduct cyberattacks. Even as AI systems are used with human involvement, AI agents are increasingly able to act autonomously to cause harm (Chan et al., 2023).

When AI becomes more advanced, it could eventually pose catastrophic or existential risks. There are many ways in which AI systems could pose or contribute to large-scale risks, some of which are enumerated below.

For more in-depth discussion of extreme risks, please also see our recent work "An Overview of Catastrophic AI Risks," "Natural Selection Favors AIs Over Humans," or Yoshua Bengio's "How Rogue AIs May Arise".

CAISはAIの持つ危険性について、具体的な例を挙げている。たとえば、AIを武器として使用する、AIが誤情報を拡散する、AIが誤った目標へと人類を導く、AIの利用によって人類が弱体化する、など

力を有するAIに対しては、政府の管理下でライセンスや登録要件を設けてはどうかと提案を行っており、一定の規制の必要性を説いてもいる。

前述のFLIによる強力なAI開発の6カ月間の停止に関する書簡に対しては、アルトマンは署名していない。しかし、別の非営利団体であるCAIS（The Center for AI Safety）が5月30日に発表した「AIによる絶滅のリスクを軽減することは、パンデミックや核戦争といった社会的規模の大きいリスクと並ぶ世界の優先問題として認識すべきである」という声明に加わっている。

GPT－4の安全性に懸念があるという声も根強い。AIの倫理的な問題を調査する非営利団体「アメリカAI政策センター（CAIDP：Center for AI and Digital Policy）」は、3月30日にGPT－4の調査、およびさらなるサービス展開の停止を呼びかけた書簡をアメリカ連邦取引委員会に提出したと発表している。同団体会長のマーブ・ヒコックは、「このままではビジネス、消費者、公共の安全に重大なリスクをもたらすだろう」と語っている。

■ヨーロッパにおけるAI規制論

このようにアメリカではさまざまな規制が議論になっているが、ヨーロッパにおいて

欧州委員会の委員長、ウルズラ・フォン・デアア・ライエン

も同様に、生成ＡＩに対する規制を訴える声が高まりを見せている。

たとえば、２０２３年3月31日、イタリアのデータ規制当局は、チャットＧＰＴのデータ管理に問題があると指摘。同サービスが、イタリア人のユーザー情報を扱うことを一時的に禁止した。20日以内の対処と報告を義務付けるとともに、したがわなかった場合には２０００万ユーロ（約29億円）もしくは年間収益の４％の罰金を課すとした。これは、国家の政府機関がチャットＧＰＴを強制的に停止した最初の事例となった。

イタリア政府による規制は、法的根拠なしに個人情報を含む膨大なデータがＡＩの学習に使われているように見えるところを問題視した。これを受けて、オープンＡＩのＣＥＯサム・アルトマンは「イタリア政府の指示にしたがい、チャットＧＰＴのサービス提供を停止した」とツイッター上で発表した（4月末以降、イタリアにおける使用禁止措置は解除されている）。

また、ヨーロッパでは2020年ごろからAI規制に関する議論を重ねてきた。2020年2月には、欧州連合の執行機関である欧州委員会が、個人データとAIに関する戦略を発表。アメリカの大手IT企業の、EU圏内における活動に規制をかけるかたちとなった。欧州委員会の委員長を務めるウルズラ・フォン・デア・ライエンは、記者会見の場で「AIは人間に奉仕するべきであり、常に人間の権利を遵守しなければならない」と述べた。

2023年6月には、EUの立法議会である欧州議会にて、AI規制法案が可決した。顔認識のソフトウェアの使用制限や、生成AIを提供する企業に対して、プログラム構築に使われるデータの開示を義務付けた。同議会はプレスリリースで、「チャットGPTのような生成AIシステムは、コンテンツがAIによって生成されたものであることを開示する必要がある」と、特定のサービスに対して名指しでコメントしている。欧州委員会や欧州連合理事会での検討や加盟国との協議を重ね、年内に合意を取り付け、同法律の最終版を成立させる見込みである。

■ 規制に反対する企業もある

この法案に対して、フランスのエアバスやルノー、ドイツのシーメンスといったヨーロッパに本拠を置く大手企業を中心とする、およそ150の企業の経営者たちが反対を表明している。厳格な規制は、「革新的な技術を有する企業がEU圏外に活動の拠点を移したり、投資家がヨーロッパのAI開発から資金を引き上げたりすることにつながりかねない」と、ヨーロッパの競争力や技術開発の低下を招く恐れを指摘しており、さまざまな議論を呼んでいる。

■G7サミットで生成AIが議論に

2023年5月に、広島で開催された主要7カ国首脳会議（G7広島サミット）では、冒頭の会合で生成AIに関する議論が行われた。岸田文雄首相は、「経済社会への影響が甚大であり、G7が一致して切迫感を持ち、対応すべきだ」と呼びかけ、担当閣僚による議論枠組み「広島AIプロセス」を立ち上げ、国際的なルール作りを進めることで、各国の合意を得た。

さらに、チャットGPTに関する意見が交わされ、生成AIに関する見解を年内に取りまとめる方針を打ち出している。首脳宣言の中では、「責任あるイノベーションと実装」の推進のために、テクノロジー企業や関連ステークホルダーへの協力を表明するとともに、技術の急速な成長に対応した政策の必要性の認識を示した。また、岸田首相は

2023年5月のG7サミットでは、AIの推進についても話し合われた

「人間中心の信頼できるＡＩ」を構築するべく、議長国として資金拠出を含めた貢献を表明している。

このように公開からわずか半年あまりのチャットＧＰＴは、Ｇ７のサミットでも議論されるほどに、その影響力の高まりを見せているのである。

シンギュラリティに対する恐れの再燃

第3次ＡＩブーム以降、ディープラーニングによって、さまざまな分野で人間を凌駕するＡＩが登場した。将棋では電王戦が開催され、人間のプロ棋士をＡＩが次々に退けたことは記憶に新しい。これらを受けて、理論物理学者のスティーヴン・ホーキングは、イギリスＢＢＣのインタビューに答えて「完全な人工知能の登場は人類の終焉を意味する」と述べていた。

チャットＧＰＴは前章で述べたように、限りなく人間に近い知能を持つ汎用ＡＩ誕生の扉を開いた。たとえば、機械の能力を

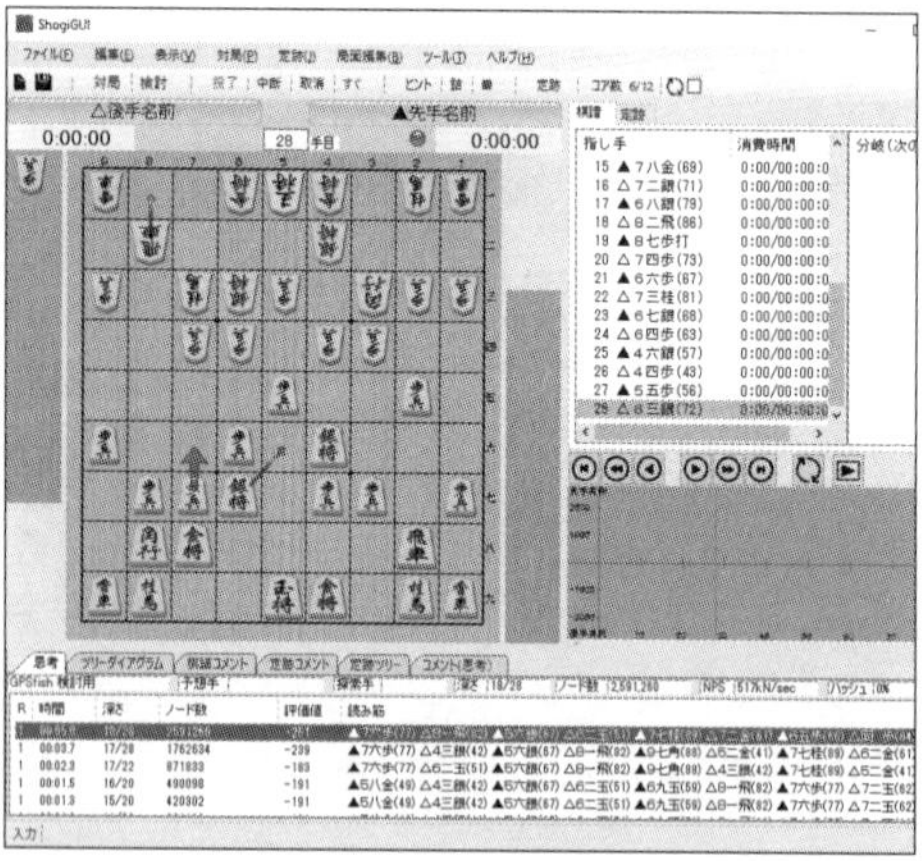

将棋ソフト「ShogiGUI」の画面。これに将棋AI「dlshogi」を組み合わせると、プロ棋士でもなかなか勝てないほどの強さになる

判定する基準として有名な「チューリングテスト」というものがある。イギリスの数学者アラン・チューリングが提案した方法で、「人と機械が文字を使って会話し、会話相手が機械であることを人が見破ることができなければ、その機械は人と同等の知能を持つとみなせる」というものだ。

このチューリングテストに照らせば、チャットGPTはすでに人と同等の知能を有しているとみなすことができるかもしれない。というのも、2020年、海外の掲示板「レディット」上で、GPT－3に基づく対話AIが投稿を繰り返し、1週間以上だれにもAIと気づかれなかったということがあったのだ。しかも、この投稿がAIだと判明したのは、その投稿内容が問題だったのではない。その投稿頻度や文章量の多さから、生身の人間には投稿できないと判断されたからだった。もちろん、この事例は、専門家による正式な試験ではないが、ある種のチューリングテスト的な判定を通過したとも考えることができる。

まさにチャットGPTの登場は、シンギュラリティに対する恐れや不安を再燃させる事態を招いているといっても過言ではない。

■AIの暴走により人類は絶滅するのか

イーロン・マスクやスティーヴン・ホーキングら、AI脅威論を唱える人々に多大な思想的影響を与えたとされる人物に、オックスフォード大学の「人類の未来研究所」所長を務めるニック・ボストロムという哲学者がいる。ボストロムは、AIの目的を人間の目的に一致させることができなければ、人間の知性を超えるAIが暴走して人類を絶滅させる恐れがあると警鐘を鳴らしてきた。

ニック・ボストロム

AIを制御することで、AIと人間の目的を一致させるというアライメントの観点からすれば、チャットGPTの登場は現段階では「まだ性能が限られているが、すでに開発者は（AIと人間の）目的を一致させることに苦労している」と見解を述べている。また、チャットGPTのような高性能な対話型AIの登場は、「デジタル知性とどう向き合うべきか」という倫理的な課題を私たちに突きつけているとも語る。

仮に、デジタル知性が主体性を有して、自己認識や個性、感覚を獲得した結果、モラルを持つ主体となった場合、果たして人間はＡＩを自分の意のままにしたがわせる道具として扱うことができるのかという問題が生じる。ボストロムは「私たちがデジタル知性に対してどのような倫理的義務を負うのかを考えることは極めて重要であり、（チャットＧＰＴが登場した）今こそ検討を始めるのに適したタイミングです」と指摘している。

幻覚（ハルシネーション）の危険

ＡＩに関する規制が議論される際、よく問題にされるのが、チャットＧＰＴはしばしば誤った情報をあたかも本当のように語る、など平気で「嘘」をつく点にある。人間の幻覚のように、実在しないものをあたかも本当に存在するかのように文章を生成してしまうことから、「幻覚（ハルシネーション、hallucination）」と呼ばれる。

ＬＬＭ（大規模言語モデル）に特有の挙動として知られるこの「幻覚」は、あくまでも、文章生成に際してＡＩは必ずしも論理構築を行っていないことに基づく。第１章で説明したように、ＡＩが適切な文章を作ることができるのは、膨大なデータの機械学習を行ったからだ。より適切な文章を作成できるようにするためには、人間の手で質問と回答を用意し、調整を施す（これをファインチューニングという）必要がある。あらかじめ決まった質問と回答を学ぶトレーニングを通じて、法則やルールを獲得したことで、たとえ未知の問いかけをされたとしても、適切な回答を導き出せるようになった。

しかし、こうした機械学習の結果、誤った関係や事実をあたかももっともらしい話のように堂々と生成してしまう可能性が生まれてしまった。これが「幻覚」と呼ばれる現象だ。問題は、幻覚によって生成された情報が、人間や専門家にも区別がつかないほどに正確であるように見えてしまう点である。生成ＡＩの技術が普及して拡散するにつれて、こうした幻覚に基づく嘘の情報に人々が騙され、大惨事を招く結果を引き起こしかねない。そのような懸念が、ＡＩ規制を後押ししているともいえるだろう。

　そもそも、こうしたＡＩが誤った情報を伝えてしまい、その結果、社会に混乱をもたらすという予想はこれまでしばしば唱えられてきた。たとえば、画像生成ＡＩに関しては、グーグルやメタといったビッグテック企業がこぞって研究していたものの、画像の一部を入れ替えて人々を混乱させる「ディープフェイク」のリスクがあると考え、公開を見合わせてきていた。

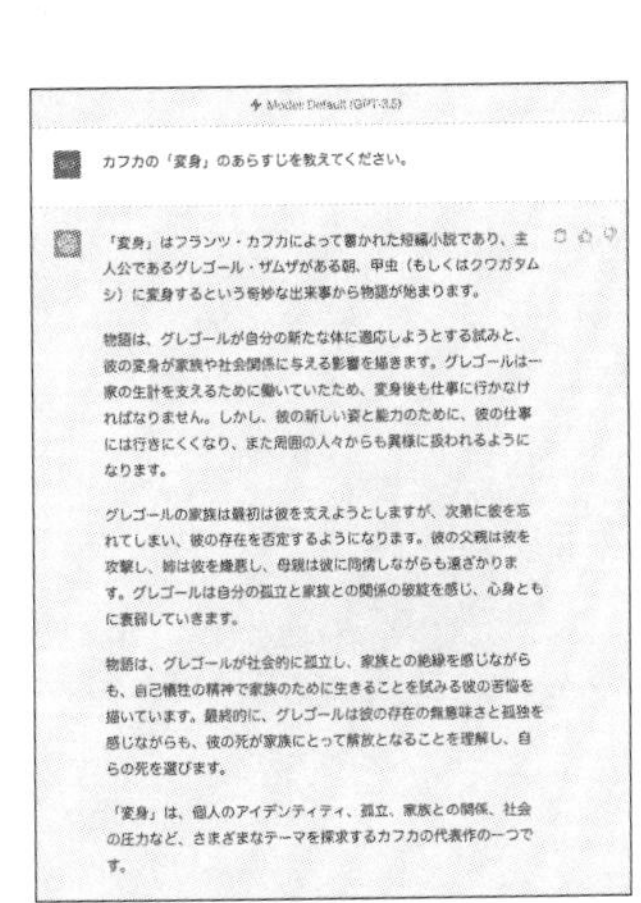

フランツ・カフカの短編小説『変身』のあらすじを聞いてみたところ、いくつか誤りがあった。登場人物の一人が姉（実際は妹）となっており、主人公は最後に自ら死を選ぶとあるが、実際にはケガが悪化して死んだ

　しかし、万全を期すビッグテックを尻目に、２０２２年８月にはイギリスのベンチャー企業スタビリティＡＩ

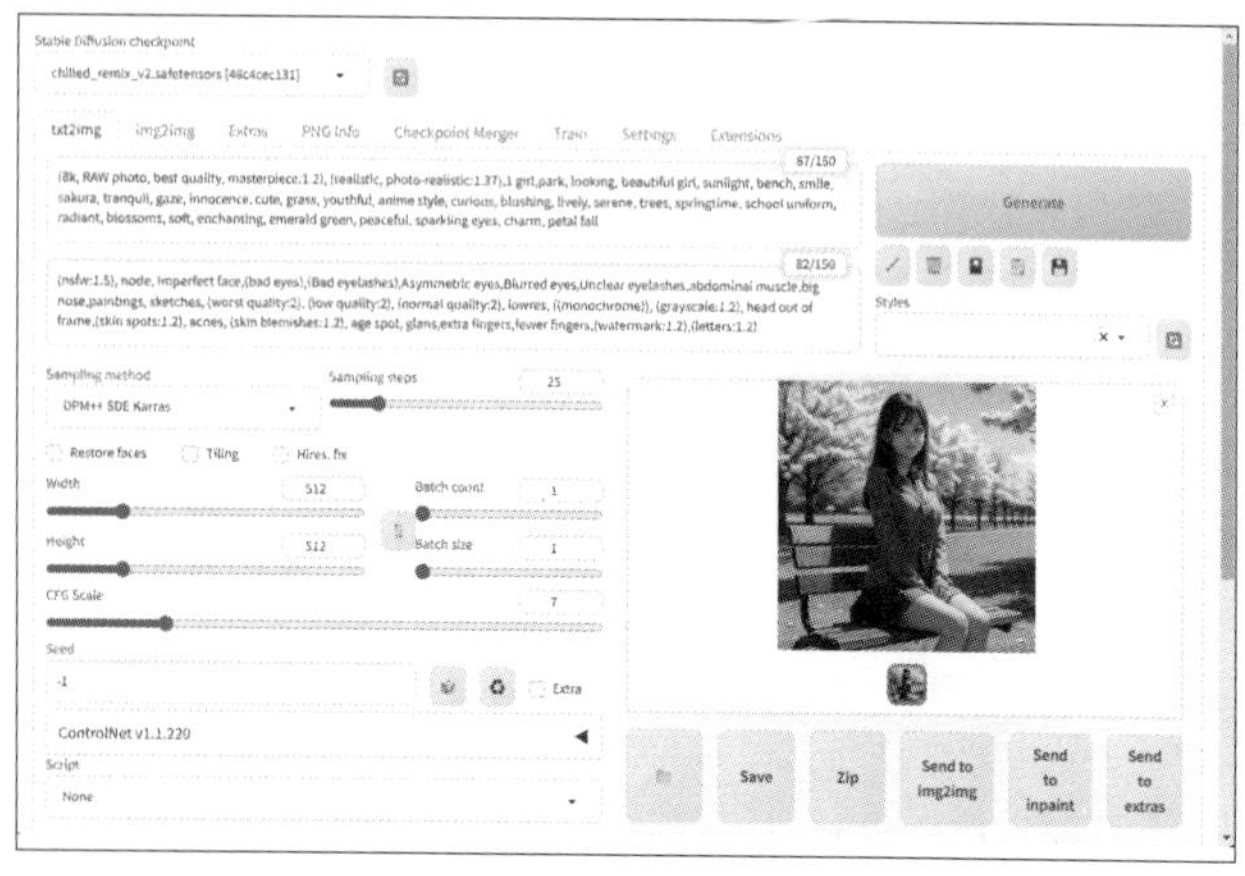

ステーブル・ディフュージョンを利用すると、美しい画像が簡単に作成できる

が、画像生成ＡＩの公開に踏み切ったのである。こうして発表されたステーブル・ディフュージョン（Stable Diffusion）は、その後、アーティストの権利を侵害し、フェイク画像を拡散させているといった批判を浴びた。また、写真素材を提供するゲッティイメージズは、自社の画像１２００万枚以上が無断で複製されたとして、スタビリティＡＩを提訴した。

こうした情報の取り扱いについて、ビッグデータを一挙に手中に収めて、さまざまなビジネスに活用することができるビッグテック企業と一般の人々との間にある大きな格差を問題視しているのが、ジャーナリストのナオミ・クラインである。「『幻覚を見ている』のはＡＩの機械ではなく、その製作者たちだ」

というエッセイの中で、クラインは「一つの仮説を持っている」と述べている。

「それはこれらの物語（生成ＡＩが地球上のさまざまな問題を解決してくれるという言説）が、規模の点でも影響の点でも人類史上最大の盗みであると判明しかねない行いを隠蔽する、強力で魅了的な物語にほかならないというものだ。なぜなら私たちが目撃しているのは、歴史上、最も富裕ないくつかの企業（マイクロソフト、アップル、グーグル、メタ、アマゾン等々）が、収集可能な形態でデジタル上に存在している人間の知識全体を一方的につかみ取り、それを専売の製品のなかに囲い込んでいる姿であり、そうした製品の多くが直接に狙いを定めている人々は、その生涯をかけた労働が同意や許可を与えることもなく機械の訓練に使われてきたのだ」

このような知の所有に関する非対称な状況に対して、クラインは「こんなことが合法であるはずがない」と指摘している。スタビリティＡＩへの訴訟のような異議申立てが続々と現れることで、その違法性が明るみになっていくだろうというのだ。

フェイクニュースの蔓延と世論工作の増大の可能性

　幻覚のような現象によって、予期しないフェイクニュースが広まり、社会に対して悪影響を引き起こす可能性がある一方で、チャットＧＰＴのような文章生成ＡＩを使ってあえてフェイクニュースを作り出し、世論工作に使う懸念も取り沙汰されている。

　たとえば、フィッシング詐欺を誘発する迷惑メールは、いかにも日本語が不得手な外国人が書いたかのような拙い文章で書かれていることが

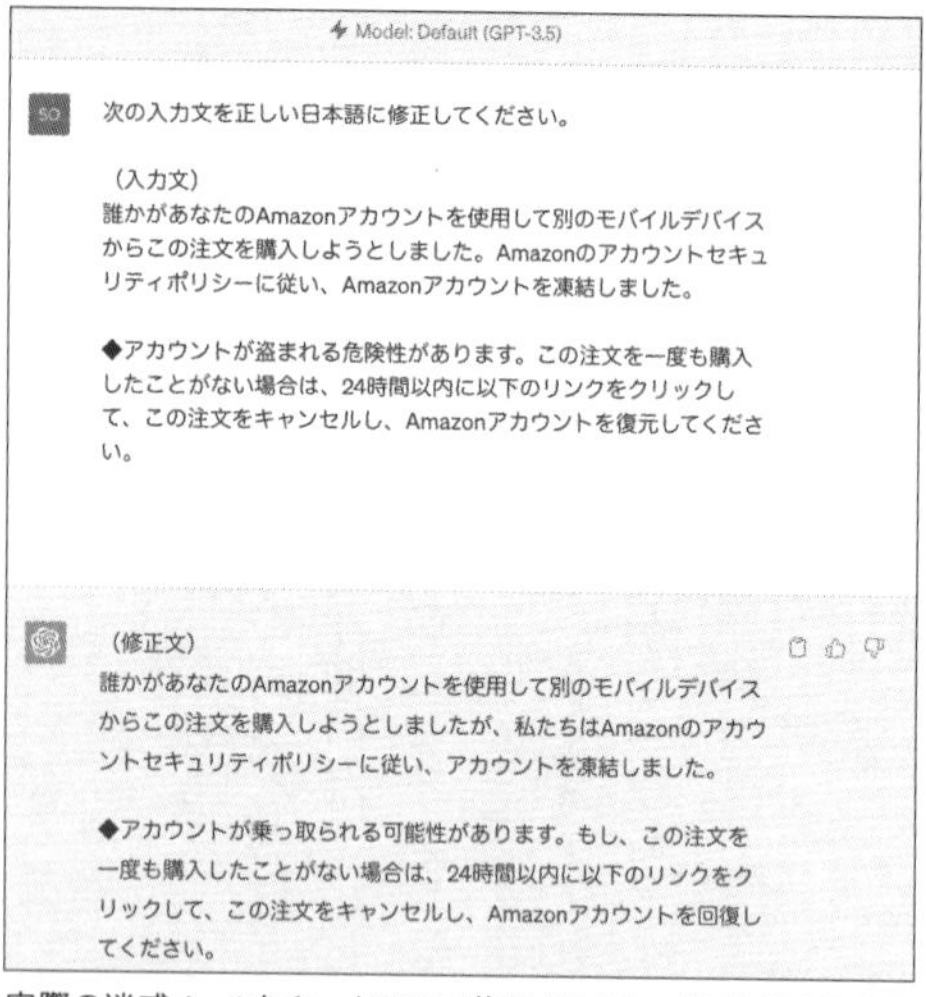

Model: Default (GPT-3.5)

SO　次の入力文を正しい日本語に修正してください。

（入力文）

誰かがあなたのAmazonアカウントを使用して別のモバイルデバイスからこの注文を購入しようとしました。Amazonのアカウントセキュリティポリシーに従い、Amazonアカウントを凍結しました。

◆アカウントが盗まれる危険性があります。この注文を一度も購入したことがない場合は、24時間以内に以下のリンクをクリックして、この注文をキャンセルし、Amazonアカウントを復元してください。

（修正文）

誰かがあなたのAmazonアカウントを使用して別のモバイルデバイスからこの注文を購入しようとしましたが、私たちはAmazonのアカウントセキュリティポリシーに従い、アカウントを凍結しました。

◆アカウントが乗っ取られる可能性があります。もし、この注文を一度も購入したことがない場合は、24時間以内に以下のリンクをクリックして、この注文をキャンセルし、Amazonアカウントを回復してください。

実際の迷惑メールをチャットGPTで修正させると、より自然な日本語になった。チャットGPTの「悪用」により、メール詐欺に引っかかってしまう人が増える恐れがある

多い。しかし、チャットＧＰＴのような自然な文章が書ける対話型ＡＩを用いれば、非常に流暢(りゅうちょう)な日本語で詐欺メールを作成することも可能だ。巧みなオレオレ詐欺に騙される人のように、チャットＧＰＴを用いた詐欺メールに騙される人も増えてくる可能性がある。このほか、チャットＧＰＴの文章作成能力を悪用することで、外国から日本に対する世論工作が行われる可能性も高まっている。

インターネットを通じた世論工作が、一国の政治を左右した事例は多い。記憶に新しいのが、２０１６年のアメリカ大統領選挙だろう。ロシア当局の関与が疑われるロシア企業「インターネット・リサーチ・エージェンシー」が、ＳＮＳを通じた世論工作を展開。サイバー攻撃を通じて、民主党の候補だったヒラリー・クリントンに不利な情報を電子メールに乗せて流したのである。その結果、総得票数では負けていた共和党の候補であるドナルド・トランプが、獲得選挙人数で上回り、当選を果たした。クリントンよりもトランプが大統領になることが、ロシアにとって有益であると判断した結果だったといわれている。

これまで日本では、外国からSNSなどインターネットを用いた世論工作をしかけられる事例は多くなかった。ポイントは、日本語という壁だ。日本語ネイティブを騙せるほどに流暢に日本語を扱える工作員を揃(そろ)えることが難しかったのがその一因だとも考えられる。仮にこれが正しいとすれば、チャットGPTによって流暢な日本語が簡単に使用できるようになり、海外で頻発する世論工作が日本でも行われる可能性がある。中曽根平和研究所の主任研究員・大澤淳は、有事に際して中国が沖縄県民に県内のアメリカ軍基地を使わせないようにする論調作りをするなど、安全保障に直接関わるような世論工作・世論誘導が増える可能性があると述べている。

■中国における規制論

ここまでは欧米圏に関するさまざまな規制論を見てきたが、もともとインターネットへの規制が強い中国の場合はどうだろうか。中国政府はこれまで、政治的に不都合な情報を統制するために、西側のメディアが運営するニュースサイトの閲覧制限やフェイスブックやツイッターなど特定のSNS、グーグルなどの検索エンジンの利用を禁じてきた。チャットGPTも同様で、中国国内では使用できなくなっている。

2023年2月、中国の科学技術相・王志剛は、対話型AIに言及し、「科学技術には二面性があり、新たな技術については倫理面で対応措置を取っていく」と見解を示し、警戒感を露わにしている。実際、中国初とされる対話型AI「ChatYuan」が、AIスタートアップの杭州元語智能科技によって公開されたが、開始からわずか3日で規制違反とみなされ、サービスの停止を余儀なくされている。台湾の Taiwan News によれば、ChatYuan が２０２２年から続くウクライナ戦争に関して、「ロシアの侵略戦争」と断言したためだ。中国政府は、ＮＡＴＯの東方拡大を受けて特別軍事作戦に踏み切らざるを得なかったとするロシアの見解に理解を示してきた。ChatYuan はこの中国政府の方針に背くなど、政府見解に反する回答を示すことが多かったため、サービスの休止に追い込まれたとしている。

とはいえ、中国国内でも生成ＡＩの開発は行われている。中国のネット検索大手である百度（バイドゥ）では、独自の対話型ＡＩ「文心一言」を開発している。アリババでも「通義千問」という生成ＡＩの開発を行っており、まさにＡＩ開発ラッシュの状況だ。これに対し、中国当局は生成ＡＩの規制を急いでいるのが現状だ。

AIと著作権の問題

ＡＩによる影響は、雇用や世論工作だけでなく、人間の権利を侵害する可能性もある。とくに問題なのが著作権だ。ＡＩの学習にはインターネット上の膨大なデータが使われるが、スタビリティＡＩのように、機械学習を行うことでデータの著作権を侵害したと見なされ、訴訟を起こされる可能性もある。

また、生成ＡＩが作った文章や画像はいったいだれに著作権があるのか、という問題もある。現時点では、明確な結論は出ておらず、専門家の間でも見解が分かれることが多い。

たとえば画像生成ＡＩを用いて作った画像は、生成した人間に著作権が付与されるのか。日本国内では、１９９３年に文化庁が作成した著作権審議会第９小委員会報告書が前提として議論されることが多い。この報告書では、「創作的寄与」という言葉がキーとなっており、次のように説明されている。

「人がコンピュータ・システムを道具として用いて著作物を創作したものと認められるためには、（中略）創作過程において、人が具体的な結果物を得るための創作的寄与と認めるに足る行為を行ったことが必要である。どのような行為を創作的寄与と認めるに足る行為と評価するかについては、個々の事例に応じて判断せざるを得ないが、創作物の種類、行為の主体、態様等が主な判断基準になると考えられる」

「使用者が単なる操作者であるにとどまり、何ら創作的寄与が認められない場合には、当該使用者は著作者とはなり得ない」

つまり、コンピューターを操作し、道具として用いることで、作者自身の創作的寄与があるなら、その人に著作権が付与される。反対に、コンピューターが自動的に作り出しただけであるならば、著作権は認められない。

今後は、生成ＡＩを用いて作られた作品にはその旨を明記する、という倫理的な規定も必要になってくるだろう。

■日本は機械学習パラダイスか？

機械学習に用いられるデータに関して、日本は諸外国に比べて非常に規制が緩いといわれている。早稲田大学教授の上野達弘はこの状況を指して、早くから「日本は機械学習パラダイスだ」と述べてきた。

というのも、著作権法30条の4第2号「情報解析のための権利制限規定」によって、機械学習のような情報解析を目的とする場合には、他人の著作物を自由に利用できるとされているのだ。

ただし、これはあくまでも学習の段階にのみ適用されるもので、生成物に対してはその範囲に含まれない。たとえば、バンダイに帰属する「ガンダム」のキャラクター画像をＡＩに学習

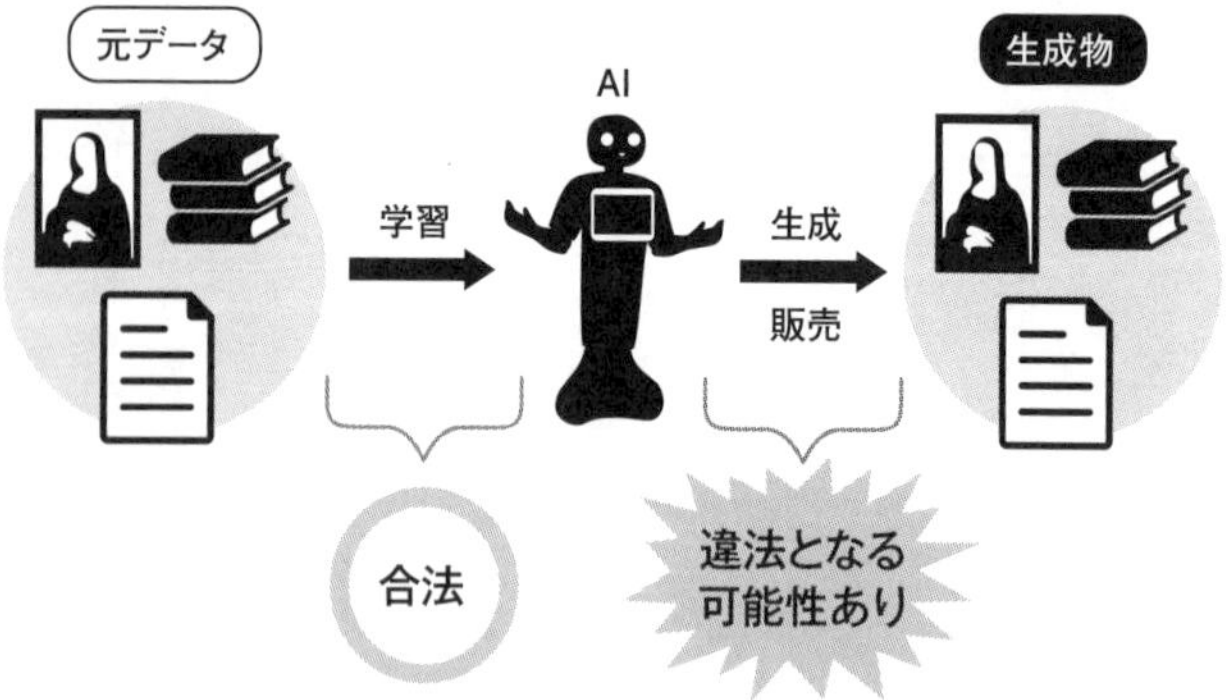

日本の著作権法では、キャラクター画像の学習は合法だが、その結果から生成したものを販売すると違法となる可能性がある。学習だけでも違法となる国と比べると、生成AIを利用しやすい環境だといえる

させるのは日本では合法だが、そうやって学習したＡＩがガンダムそっくりのコンテンツを生成し、これを何らかの商品として用いた場合には著作権侵害にあたる。

とはいえ、学習のためのデータとして利用しただけで生じた、スタビリティＡＩとゲッティイメージズの係争を考えると、日本はまさに「機械学習パラダイス」といえるわけだ。

また、日本では欧米のようにＡＩの規制について強く議論されている様子はない。情報革命以来、半導体の製造やＩＴの分野で長らく遅れを取り、経済的にも失われた30年を過ごしてきた日本経済にとって、大きなイノベーションが起きていないことは事実である。今現在、巻き起こりつつある生成ＡＩ、そして汎用ＡＩの実現に関するムーブメントに乗り遅れたくないというのが、本音だろう。そのため、規制よりも緩和、積極的な受容を推進している向きもある。

■日本では政府や官公庁が生成ＡＩを積極的に推進している

顕著なのは、政府や官公庁だろう。２０２３年3月末の自民党デジタル社会推進本部の取りまとめによる政策提言には、ＡＩは「行政サービスの質向上と効率化の観点から

｜報道発表資料｜

ChatGPTの全庁的な活用実証の結果報告と今後の展開（市長記者会見）（2023年6月5日）

～生成AI開国の地 横須賀から描くAIの未来～

横須賀市では、令和5年4月20日から、ChatGPTの全庁的な活用実証を行い、この度その結果報告がまとまりました。

この結果を踏まえて、ChatGPTを本格実装するとともに、新たにTHE GUILD代表、note株式会社CXOの「深津貴之」氏をAI戦略アドバイザーに迎え、更なる職員のスキルアップや、生成AIの新たな活用に向け、取り組んでいきます。

それと並行して、市役所内でのプロンプト※コンテストの実施や、この1か月間の実証で横須賀市が蓄積したノウハウを、他の自治体にも積極的に提供するなど、取り組みを更に推進することで、自治体における生成AIの適切な活用促進、市民サービスの向上を目指していきます。

※プロンプト…ChatGPTなどの生成AIに対して行う質問や指示

1.ChatGPT活用実証結果報告のポイント（詳細は参考資料の「ChatGPT活用実証結果報告」）

【ポジティブな点】

- 約半数の職員が実際に活用した
- 最終アンケート回答者のうち約8割の職員が「仕事の効率が上がる」「利用を継続したい」と回答
- 利用者ヒアリングの結果、業務短縮効果が認められた

【ネガティブな点（最終アンケート結果より）】

- ChatGPTの利用用途に向かない「検索用途」での利用が約3割見られた
- 常に適切な答えがくるわけではない（6%程度の職員が、概ね不適切な回答が返ってくると回答）

⇒活用実証の結果、多くの職員が活用し、業務効率向上の実感や、継続利用の意向が高い一方で、ChatGPTへの質問や指示の仕方や、利用方法に課題があることが分かりました。本格実装をしながら、今後の取り組みの中で、この課題の解決を図っていきます。

神奈川県横須賀市は、2023年4月20日から全庁的に実証試験を行っている。終了後のアンケートでは、約8割の職員から業務の効率が上がったとの回答が得られた

計り知れない社会的便益をもたらしうる」とあり、「国における徹底したＡＩ利活用」を提案し、行政でのＡＩ利活用促進のための指針策定や、関係機関でのＡＩ導入を支援する専門チームを政府内に設置することなどを求めている。

その後、4月24日には中央省庁に領域横断の「ＡＩ戦略チーム」が発足している。また、中央省庁の中でいち早く、農林水産省が生成ＡＩの利用方針を固めており、5月16日から一部の業務でチャットＧＰＴを使い始めてもいる。こうした動きは中

央省庁にとどまらず、各地の地方自治体においてもチャットＧＰＴの利用もしくは検討が進められている。とくに早いのは、神奈川県横須賀市や茨城県つくば市で、それぞれ４月の段階で導入を開始している。また茨城県笠間市や神戸市、長野市などでも試験的な利用が始まった。

　このように法的な規制の緩さと、生成ＡＩに対する積極さがあることからか、オープンＡＩのＣＥＯサム・アルトマンは、２０２３年４月に日本を訪れ、岸田首相と面会し、意見交換の場を設けている。日本が、ＡＩ開発と運用に対してリーダーシップを発揮し、世界を牽引（けんいん）してほしい、とアルトマンは自民党の会合でも意見を述べたという。規制が強まる欧米圏ではなく、日本での事業展開をアルトマンは模索しているとも考えられる。岸田首相との意見交換は、規制を強化しないように牽制したとも取れるだろう。実際、オープンＡＩは、イギリスに続き、新たな海外拠点先として日本を検討しているとも報じられている。

教育への影響の懸念

チャットGPTは、さまざまな文章を作成できることから、小中学校の答案作りに役立てる教師もいる。しかし、現段階では精度はまだ高くなく、幻覚（ハルシネーション）を起こして回答が間違っている場合もあるため、人間のチェックがどうしても必要となる。

外国語の添削など、チャットGPTは教育に活用できる点は確かに多い。しかし、その一方で、平気で「嘘」をつき、間違った回答を提示する可能性もあることから、使用に関しては全面的にAIを信用するというわけにはいかない。言語学者で作家の川添愛は、言語学者・認知科学者の今井むつみとの対談で、チャットGPTには、言葉と現実世界を結ぶ「意味論」のレベルが入っていないと指摘している。それは、対談相手の今井むつみがしばしば述べる、シンボルグラウンディング（記号接地）の問題とも関わっている。

シンボルグラウンディングとは、今井によれば、「具体的な感覚と抽象的な記号体系がどうつながっているのかを明らかにしようとするもの」であり、とくに人間は物事を自分の感覚に接地させなければ学習することができない。しかし、ＡＩの場合、感覚を備えた生身の肉体を持たないこともあり、人間とは根本的に学習の過程が異なる。つまり、人間のようにわかっている「ふり」をすることはできるが、人間のように物事をわかることはできないというわけである。こうした言語に対するズレがしばしば、幻覚のような現象を生み出す原因となっているのではないかとも考えられる。

■大学や研究機関ではチャットGPTは利用しにくい

チャットＧＰＴの機能を用いれば、論文や大学の課題レポートの作成をある程度、代わりにこなすこともできなくはない。そのため、学術誌『サイエンス』は、２０２３年１月にチャットＧＰＴによる学術論文の執筆を禁止する方針を発表した。日本の大学でも、チャットＧＰＴによる課題作成を禁止する方針を取っているところもいくつかある。

言語学者の今井むつみは、人間は成功した体験だけでなく、間違ったり、失敗したりといったさまざまな状況を積み重ねることで、洞察力や直観力を知の構造として構築し、身体の一部とする。その過程を経て、洞察や直観が生きた知識になるのだという。もしそれを幼いころからすべてチャットＧＰＴに代わってもらったら、「課題を提出す

Science
Current Issue First release papers Archive About Subm

HOME > SCIENCE > VOL. 379, NO. 6630 > CHATGPT IS FUN, BUT NOT AN AUTHOR

EDITORIAL

ChatGPT is fun, but not an author

H. HOLDEN THORP Authors Info & Affiliations

SCIENCE • 26 Jan 2023 • Vol 379, Issue 6630 • p. 313 • DOI: 10.1126/science.adg7879

108,102 60

RELATED LETTERS

AI tools can improve equity in science
BY VIOLETA BERDEJO-ESPINOLA, TATSUYA AMANO

Editor's note
BY H. HOLDEN THORP, VALDA VINSON

PHOTO: CAMERON DAVIDSON

In less than 2 months, the artificial intelligence (AI) program ChatGPT has become a cultural sensation. It is freely accessible through a web portal created by the tool's developer, OpenAI. The program—which automatically creates text based on written prompts—is so popular that it's likely to be "at capacity right now" if you attempt to use it. When you do get through, ChatGPT provides endless entertainment. I asked it to rewrite the first scene of the classic American play *Death of a Salesman*, but to feature Princess Elsa from

雑誌『サイエンス』は、ChatGPTが生成したテキストを受け入れないと明言した

るという目的は達成できるかもしれませんが、プロセスをすっ飛ばして結果だけを見るやりかたでは、洞察も直観も絶対に育たない」と言い切る。

チャットGPTに「訊けば何でもわかる」というような「マインドを育ててしまうのは危険」と言及しながらも、他方で「ただ禁止して取り締まればいい」という発想も、教育の現場では成り立たないだろうとも述べている。どんなに禁止しようとしても、生成AIの開発と普及の波は強まるばかりだ。

教育の現場に求められている

のは、チャットGPTを万能のものとしてとらえるのではなく、どんな過ちや失敗を犯してしまうことがあるのか、みんなでそれを経験することではないかと提言している。

AIと人種差別の問題

本章の最後に、AIと差別の問題に触れておきたい。これまで述べてきたように、AIはそもそも機械学習によって、人間がこれまでに生み出してきた膨大な情報を学習し、さまざまな回答を導き出すことができる。逆にいえば、人間に由来するさまざまな偏見やバイアス、差別的な見解の影響に晒(さら)されやすいともいえる。

たとえば、マイクロソフトは、2016年、ツイッター上で対話するAI「Tay」を公開したが、ユーザーの不適切なコメントを学習した結果、ヒトラーを賛美するなど差別的な発言をするようになり、たちまち公開を停止する結果となった。

人間の手でファインチューニングすることで、より適正な回答を出力できるようになったとしても、情報そのものに不平等な傾向がある場合、AIの見解もそれを下敷きにしたものになりやすい。

AIと差別の問題が認識されるきっかけとなった有名なケースに、「COMPAS」という再犯リスク評価プログラムがある。このCOMPASと同様のアルゴリズムを用いてある報道機関が調査を行ったところ、アフリカ系アメリカ人は再犯率が高いとＡＩが予測したのに対して、実際には再犯しなかった割合は白人の約二倍も高かったという。２０１６年に同機関は、ＡＩの人種差別的傾向があることを告発している。

また、ＡＩによる顔認証においては、90％以上の高い分類精度が認められるが、女性のマイノリティ（黒人など）については最も精度が低く、エラー率が高いことが判明している。顔認証システムが誤った結果を出すことで、マイノリティに対する誤認逮捕を誘発するのではないかという懸念も高まっている。実際に２０２０年１月には、ミシガン州にて顔認証ＡＩの誤判定により、アフリカ系男性が誤認逮捕された事件が発生しているのだ。その後、ＩＢＭやマイクロソフト、アマゾンなどは、顔認証システムの開発・販売から撤退、警察への販売を停止するなどの措置を取っている。

さらに、アマゾンでは、採用人事の効率化を図るために、従業員採用に関してこれまでの応募者の履歴書データをもとにして、新規の応募者の履歴書を評価するＡＩの開発を進めていた。過去10年間の履歴書のパターンが学習に用いられたが、そのほとんどが男性からの応募であったため、ＡＩは男性を採用することが適していると判断してしまったのである。結果、女性の応募者が不利益を被る可能性があることが明らかとなり、このシステム開発自体が中止となっている。

さらには、人間の手でファインチューニングをする段階で、労働者の搾取が行われていることも明らかになっている。オープンAIでは、チャットGPTの開発において、暴力的な表現や人種差別・性差別的な表現の抑制のために、大勢のケニア人労働者が雇われ、不適切な例文にラベルづけをする仕事に従事していたことが明らかになった。雑誌『タイム』の取材によれば、このケニア人労働者らは時給2ドル以下という極めて低い賃金で働かされていた。例文の中には、児童虐待、獣姦、殺人、自殺、拷問、近親相姦を表す文言が含まれており、取材に応じた従業員たちは、この仕事に従事したことで精神的な傷を負ったと語っている。

生成AIの登場は確かに人類に多くの恩恵をもたらすだろう。仕事にかかる時間はもっと短縮され、あるいはより高度な物事をこなすことができるようになるかもしれない。光り輝く未来が期待できる一方で、新たな差別問題や搾取的状況、分断や格差を生みかねない一面もあることを忘れてはいけないだろう。

第3章

チャットGPTで仕事がなくなる?

労働者対機械――技術的失業への懸念

チャットGPTの登場以前から、AIの開発・発展によって従来の仕事が奪われるのではないかという懸念は多くの議論を呼んでいた。

第2章でも触れたように、イギリスの理論物理学者スティーヴン・ホーキング氏の「AIの発達が、将来、人類に対してとんでもない災難をもたらすのではないか」という極端な危惧もあれば、19世紀の産業革命時に巻き起こったような、労働者による機械の打ち壊し運動であるラッダイト運動の再燃について警鐘を鳴らす向きもある。

スティーヴン・ホーキング

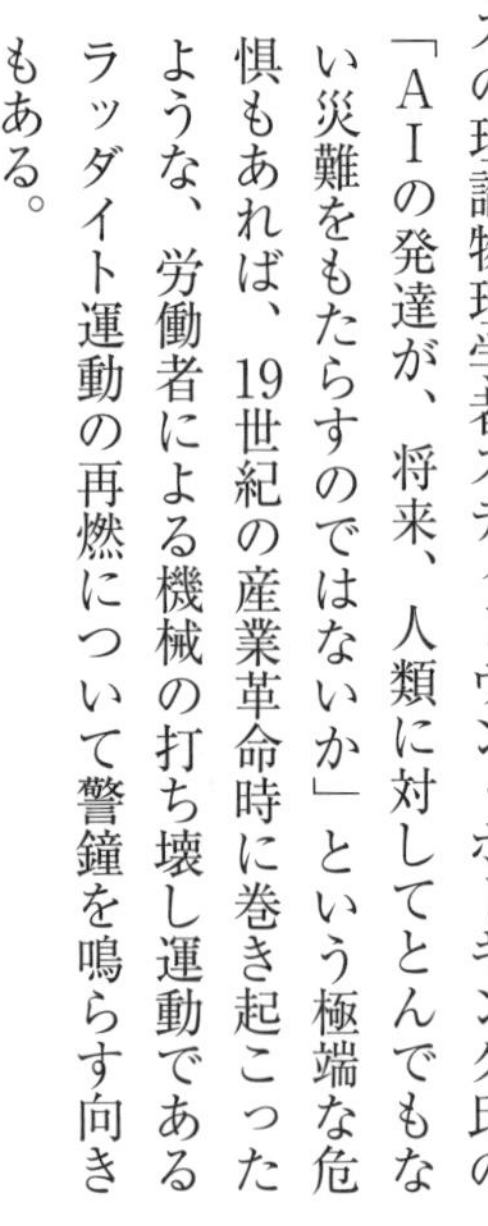

イギリスでの第一次産業革命の時期には、紡績機の導入による工場制手工業によって、労働者1人が重さ1ポンドの綿花を糸に紡ぐのに要する時

間は、500時間から3時間へと短縮された。こうした機械の導入は、労働力の節約、ひいては労働者の仕事を奪い、失業につながる懸念があることから、手織工や一部の労働者たちが反発。これが、1810年代のラッダイト運動へと発展していった。

こうしたテクノロジーの発達によって、人間の労働が機械などの新しい技術によって置き換えられ、その結果、労働者の失業が起こることを「技術的失業」と呼ぶ。ラッダイト運動が巻き起こった時代の技術的失業は、あくまでも一時的なものにすぎなかった。紡績・紡織のコストが下がったことで、綿布の価格も下がり、その結果、消費需要が増大して、労働者の需要も増えたのである。

第一次産業革命は蒸気機関の開発・発展によってもたらされたイノベーションである。それは、紡織機だけでなく、機関車の動力として用いられたことで、鉄道員や鉄道技師、駅の整備によるそのほかの仕事など、新たな雇用創出にもつながっていった。既存の産業が効率化され、消費需要が増大して、新たな産業が生まれた結果、労働移動が起こると、次第に技術的失業は解消されていったのである。その後、19世紀の内燃機関や電気モーターの開発による第二次産業革命では、自動車などの製造業といった、やはり新しい産業が生まれ、雇用を創出している。

また、1990年代に入り、パソコンやインターネットの発展によって起きた第三次

BBC Sign in Home News Sport Reel Worklife Travel

NEWS

Home | War in Ukraine | Coronavirus | Climate | Video | World | Asia | UK | Business | Tech

World | Africa | Australia | Europe | Latin America | Middle East | US & Canada

Unabomber Ted Kaczynski found dead in US prison cell

10 June

Ted Kaczynski evaded capture until 1996

ユナボマー事件を起こした犯人セオドア・カジンスキーは、2023年6月10日にアメリカの刑務所内で死亡し、各メディアで報道された

産業革命（情報革命、情報化社会の始まり）では、再びラッダイト運動のような現象が起こった。アメリカでは、高度な情報技術の導入により、技術的失業が起こることを嫌厭した人々が、そうした技術開発に反対した「ネオ・ラッダイト運動」と呼ばれる言論活動を生んだ。中には、「ユナボマー」と名乗るテロリストが科学者やエンジニアに爆弾を送りつけるという事件も発生した。1995年に『ニューヨーク・タイムズ』や『ワシントン・ポスト』に掲

載された犯行声明文で、ユナボマーは「機械はどんどん下級労働者から単純作業を奪うようになるだろうから、下級労働者は失業していく」と訴えた。ちなみに、ユナボマーの正体は、カリフォルニア大学で教員をしていた数学者であった。

ＡＩの急速な発達を受けて、２０１３年にオックスフォード大学のカール・フレイとマイケル・オズボーンが発表した論文「雇用の未来」では、アメリカにおける雇用の47％、702もの職業が10～20年のうちに自動化する可能性が示唆された。同論文では、スーパーなどのレジ係は97％の確率で消えるだろうと予測されている。実際にコンビニエンスストアやスーパーマーケットでは、セルフレジが普及しつつある。

論文「雇用の未来」の発表を

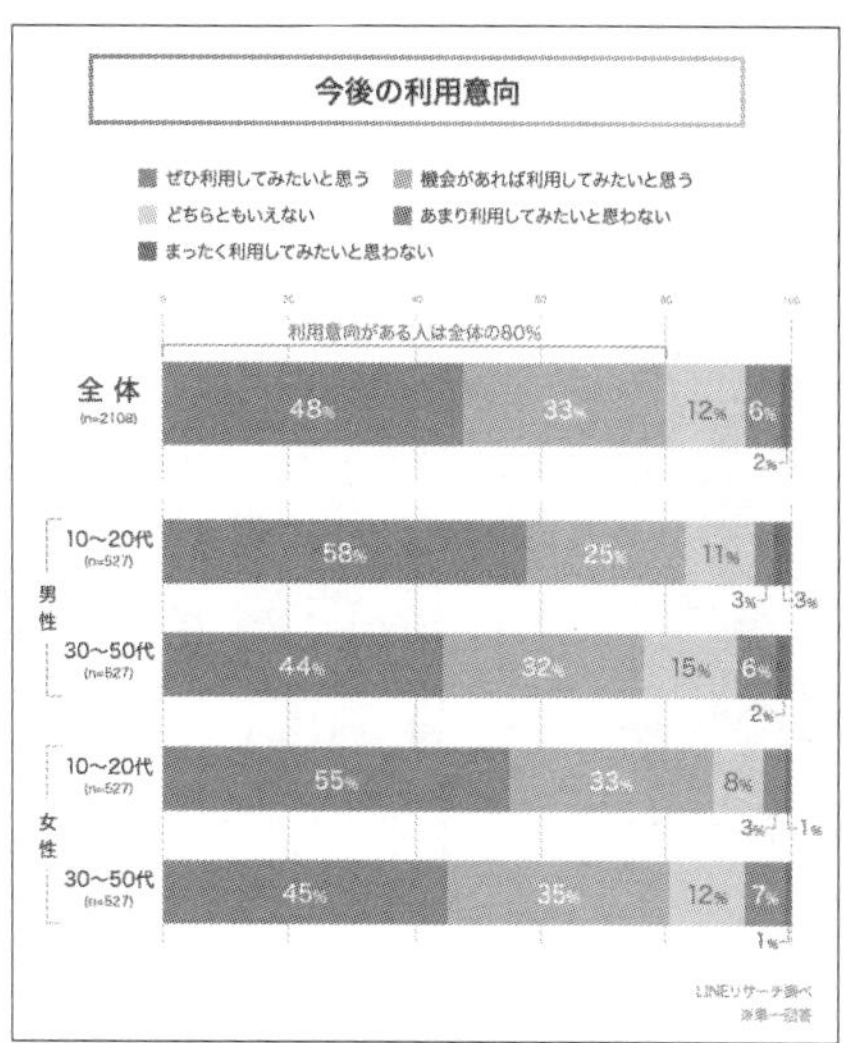

セルフレジについて、10代から50代までの男女2000人余りに調査したところ、全体の8割程度が今後セルフレジを使いたいという希望を持っていることがわかった
(2022年3月、LINEリサーチ調べ)

受けて、野村総合研究所も日本国内の601種類の職業に関して、AIやロボットなどに代替される確率の試算を2015年12月に発表している。同研究では、「雇用の未来」で示された分析結果と同様に、日本の労働力人口の約49%が就いている職業において、機械による代替の可能性が高いとされた。また、2016年には、経済産業省が「AIとロボット化に何も対処しなければ、国内の労働力人口（2015年平均）の約1割に相当する735万人の雇用が減る」という研究発表を行っている。

果たしてチャットGPTの登場が、こうした未来予測を加速させることになるのだろうか。その結果、技術的失業が引き起こされ、しばしば懸念されているように、大量の失業者を生み、破壊的な未来を引き起こすことになるのだろうか。アメリカの経済学者エリック・ブリニョルフソンとアンドリュー・マカフィーは、その共著『機械との競争』の中で、多く

エリック・ブリニョルフソンとアンドリュー・マカフィーは、2011年に自費出版で刊行した『Race Against The Machine』で人間がコンピューターに仕事を奪われると予言した（邦訳『機械との競争』は2013年、日経BPより刊行）

の人々が起業するようになれば、新たに雇用が創出され、ＡＩの普及に伴う労働問題は改善されるだろうと主張している。確かに、かつての産業革命による技術的失業は、新たな雇用創出によって部分的・局地的なものにとどまった。

先の章で述べたように、マイクロソフト創業者ビル・ゲイツは、チャットＧＰＴをインターネット、携帯電話、パソコンなどに並ぶ「本質的なもの」と位置づける。また、チャットＧＰＴの登場によって「第４次ＡＩブームが始まった」と述べる東京大学教授の松尾豊のように、チャットＧＰＴが大きなブレークスルーとなると考える声も多い。インターネット、携帯電話、パソコンなどがもたらした私たちの暮らしの変化と同等、あるいはそれ以上の大きな変革をチャットＧＰＴがもたらす可能性があるといえるだろう。

本章では、チャットＧＰＴがもたらす影響、とくに私たちの仕事に直結する変化について見ていく。いったい、チャットＧＰＴの登場によって、どんな仕事がなくなり、どんな仕事が新たに生まれるのだろうか。

ブルーカラーよりもホワイトカラーが危ない？

チャットＧＰＴのような生成ＡＩ、とくに言語に特化した生成ＡＩの誕生は、私たちの仕事にどんな影響をもたらすだろうか。２０２３年３月下旬、アメリカの大手投資銀行ゴールドマン・サックスは、生成ＡＩが雇用に与える影響についてレポートを発表した。それによると、アメリカの雇用のうち約３分の２は、ＡＩによる自動化の影響を受ける。影響を受ける職種

A new wave of AI systems may also have a major impact on employment markets around the world. Shifts in workflows triggered by these advances could expose the equivalent of 300 million full-time jobs to automation, Briggs and Kodnani write.

Analyzing databases detailing the task content of over 900 occupations, our economists estimate that roughly two-thirds of U.S. occupations are exposed to some degree of automation by AI. They further estimate that, of those occupations that are exposed, roughly a quarter to as much as half of their workload could be replaced. But not all that automated work will translate into layoffs, the report says. "Although the impact of AI on the labor market is likely to be significant, most jobs and industries are only partially exposed to automation and are thus more likely to be complemented rather than substituted by AI," the authors write.

Two thirds of occupations could be partially automated by AI

Share of occupational workload exposed to automation by AI

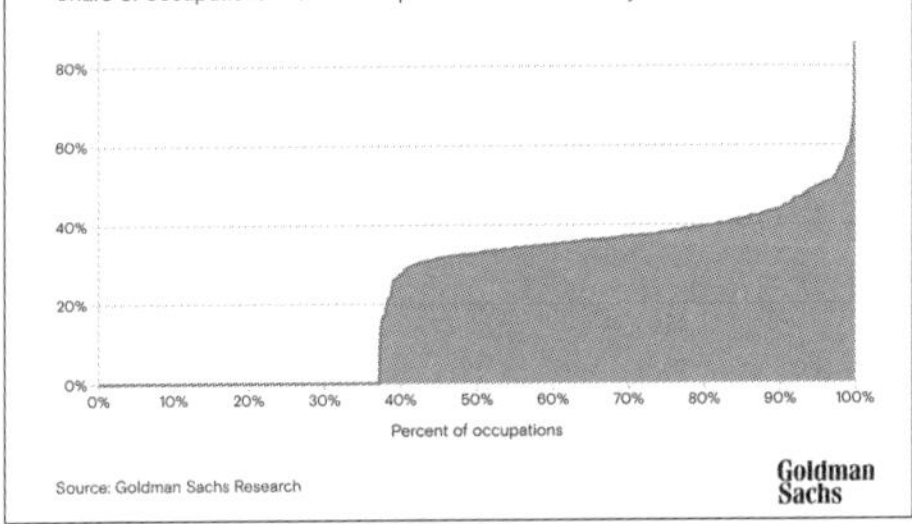

Source: Goldman Sachs Research

Goldman Sachs

ゴールドマン・サックスのレポートでは、3億人の仕事に影響があるが、それが直ちに雇用減少にはつながらないとのことだ
出典：https://www.goldmansachs.com/intelligence/pages/generative-ai-could-raise-global-gdp-by-7-percent.html

では、25~30%の業務がAIによって代替される可能性がある。同レポートでは、「生成AIが現在想定されている機能を今後、実現できるならば、労働市場は重大な崩壊(disruption)に直面するだろう」としており、およそ3億人もの雇用に影響がある見込みだ。

ゴールドマン・サックスのレポートでは、オフィス事務職の46%、法務に関わる職の44%、財務に関わる職の35%に影響があり、ホワイトカラーの仕事の大部分がAIに奪われるリスクが高いとしている。

オープンAIもまた、ペンシルベニア大学などと共同で、チャットGPTの導入による雇用への影響について分析をまとめている。これによれば、GPTの導入により、アメリカの労働者の80%が業務の10%以上において影響を受ける可能性がある。労働者のおよそ19%は、業務の50%以上において影響を受けるだろうとも指摘している。

具体的には、弁護士や記者、編集者、翻訳者、アナリスト、税理士、コンサルタントといった言葉や数字を扱う専門職の仕事は代替されやすくなる。第1章で述べたように、すでにチャットGPTは、アメリカの司法試験の模擬試験において、上位10%の成績を収め、合格水準に達している。基本的には言葉や数字を使ってできることは、AIに代替されていくと考えられるのである。本書でこれまで見てきたように、文章の要約や翻訳、添削、スピーチ原稿の執筆から、小説や詩の執筆にプログラミングまで、さまざまな用途が考えられることから、今後もますますその使用は拡大していくものと思われる。

■チャットGPT以後の世界で、失われる仕事

『文系AI人材になる』などの著書で知られる、株式会社ELYZAの取締役CMO・野口竜司によれば、チャットGPTの活用には「効率化」と「高度化」の二つの方向性があるという。

議事録や営業日報、顧客対応のメール作成といった業務をチャットGPTが代替することで、業務の量を削減し、そのぶん作業時間の短縮にもつながる（効率化）。先述したように法務文書を読み解くためには法律的な知識が不可欠だが、チャットGPTに要約してもらったり、より簡単な表現で説明し直してもらったりすることも可能だ（高度化）。このように、多くの事務手続きを伴う従来のホワイトカラーの仕事の価値は、激減していく。

人事や財務、経理、弁護士補佐業であるパラリーガル、事務やデータ入力といった仕事は、業務の多くをチャットGPTのようなAIに置き換えられていくと思われる。ま

た、言葉や数字を扱うホワイトカラー的な仕事のうち、これまで代替は難しいと考えられてきた専門職についても、例外ではない。

オープンＡＩのタイナ・エランドウらの研究でも、高度なＡＩ技術の影響を受ける職業として、次のような職業・仕事が挙げられている。

・通訳、翻訳者
・調査研究者、市場調査員
・詩人、作詞家
・動物科学者
・広報専門家
・ライター、作家
・数学者
・税理士
・金融データアナリスト
・ウェブデザイナー、デジタルインターフェースデザイナー

実際に、金融・損保・証券などの業種では、チャットＧＰＴなどの生成ＡＩを業務に

導入するなど、活用する動きが顕著になっているという。

■現実化したAIの脅威

現段階で、すでにホワイトカラーに対する影響は出始めている。IBMのCEOアービンド・クリシュナは、アメリカの通信社の取材に応じて、AIが代替できるような職種・仕事の採用を中止、もしくは遅らせる方針を表明している。そうした業務の間接部門で働くおよそ2万6000人の従業員に対しては、その30％が5年でAIや自動化に取って代わられることを想像するのはたやすいとも述べた。

IBMのCEOを務めるアービンド・クリシュナ

弁護士の業務の多くは、判例を調べることに費やされるが、チャットGPTなら必要な情報を選び出し、要約して伝えてくれる。まさに弁護士のサポート役として雇用されるパラリーガル的な仕事は、大幅に減っていくことが予想されるだろう。また、日本経済新聞でも、数字の取りまとめからなる企業の決算記事の作成は、一部をAIが行っているとのことだ。

「雇用の未来」論文を執筆したマイケル・オズボー

ンは、チャットＧＰＴのようなＬＬＭ（大規模言語モデル）を活用できる業種として、コピーライティングとソフトウェアエンジニアリングが挙げられると指摘している。いずれも大量の文章とコードを扱う仕事で、ＬＬＭが最も得意とする分野だといってもよいだろう。

事実、中国の広告・ＰＲ会社の大手である藍色光標が、デザイン、企画・広告文案の作成などの業務に、ＡＩを全面導入することを発表し、外部委託は完全に停止するとした。中国では「ＡＩ失業が始まった」とする報道が世間を賑わしている。

また、ＡＩをはじめとするソフトウェアは、人間の労働者よりもコストが安いという強みがある。たとえば、コールセンターでは、人間のオペレーターは一度に何人もの対応をすることはできない。基本的には一対一の対応となる。しかし、これが自動音声や自動案内に変われば、同時に何人もの顧客に対応することができる。逆にいえば、チャットＧＰＴなど生成ＡＩによって代替される仕事であっても、人件費のコストが低ければ、人間の雇用を奪うことはない。

言葉や数字を扱うホワイトカラー的な仕事のすべてが、完全にチャットGPTなどのAIによって置き換えられるというのは、現実的に考えにくい。オープンAIのタイナ・エランドウは、「全体的に見た場合、AIがほぼすべての仕事を行うことのできる職種を見つけることは難しい」とも述べる。

エランドウらの研究によれば、プログラミングや文書作成の仕事は、生成AIの影響をより受ける一方で、科学やクリティカルな思考スキルを伴うような職業・仕事は影響を受けにくいとしている。ゴールドマン・サック

技術・研究開発 / プレスリリース　2023年6月28日

パナソニック コネクトのAIアシスタントサービス「ConnectAI」を自社特化AIへと深化

自社の公式情報を元にユースケースに合わせた回答を可能にするAIの試験運用を開始

パナソニック コネクト株式会社（本社：東京都中央区、代表取締役 執行役員 プレジデント・CEO：樋口泰行）は、国内全社員約13,400名※1に展開しているOpenAIの大規模言語モデルをベースに開発した自社向けのAIアシスタントサービス「ConnectAI（旧称ConnectGPT）」を、自社の公式情報も活用できるよう機能を拡大し、業務での活用を目的とした試験運用を開始します。なお、2023年10月以降にカスタマーサポートセンターの業務への活用を目指します。

■機能拡大の背景

当社は2023年2月より、生成AIによる業務生産性向上と、社員のAIスキル向上、またシャドーAI利用リスクの軽減を目的に、ChatGPTをベースとしたAIアシスタントの運用を推進しています。

その中で、以下の課題がみえてきました。
（1）自社固有の情報に関する質問には回答はできないこと
（2）引用元などが不明のため回答の正確性を確認できないこと
（3）長いプロンプト入力にはハードルがあること
これらの課題に向け、私たちは業務改革を更に加速化させるため、公式の自社情報に対しても回答する自社特化のAI活用に深化させることにチャレンジをします。

パナソニックは2023年2月より、チャットGPTをベースとしたAIアシスタントの運用を開始している。6月からは、自社の公式情報を活用できるように機能を拡大して、テストを開始した

スのレポートでも、たとえ仕事の一部がＡＩに代替されたとしても、すべてがＡＩに置き換わるのは、アメリカでは7％にとどまるだろうという見解を示している。

これまで時間のかかっていた会議資料の準備や議事録の要約、メールの作成といった業務の一部がＡＩに代替されていくが、仕事そのものが完全に置き換えられるということは考えにくいというわけだ。つまり、ＡＩは仕事のアシスタント役、あるいはより仕事の効率化・高度化を図るためのツールとしての役割を果たしていくとも考えられる。

日本国内の企業の中では、いち早くチャットＧＰＴを業務に取り入れたパナソニックコネクトでは、社内向けのアシスタントサービス「コネクトＡＩ（旧コネクトＧＰＴ）」を独自に開発し、全社利用を実施してきた。

チャットＧＰＴの導入によって、一番に変わったのは、アウトソーシング化やシステム化が難しかった非定型業務を効率的にこなすことができるようになった点だという。従来の定型の業務は、作業手順も決まっており、外注化するなどしてコストカットが可能だったが、専門知識を必要とする非定型の業務は、各担当者が直接行わなければならなかった。ところが、チャットＧＰＴを活用することで、資料の作成や情報の整理、ドラフトの作成といった雑務の効率化を図ることができるようになったのである。

同社のＩＴ・デジタル推進本部のシニア・マネージャーである向野孔己によれば、自由記述された全社ミーティングのコメント約1500件を、内容をチェックして分類し取りまとめる作業に、通常であれば9時間以上かかっていた。しかし、チャットGPTに任せたところわずか6分で集計・分類・分析が可能になった。作業時間は90分の1にまで圧縮されたことになるわけだ。このほか、同社では企画業務でのアイデア出し、プログラミングの補助などにもチャットGPTは活用されているという。

また、同じく大和証券でも2023年4月から全社員9000人に対して、業務でチャットGPTを使えるよう、環境を整備している。英文レポートの翻訳や要約、海外法人との契約書の文案作成といった業務をチャットGPTによって行うことで、業務の効率化を図っている。加えて同社では、高

2023年4月18日

各位

会社名　株式会社大和証券グループ本社
代表者名　執行役社長　中田 誠司
（コード番号 8601 東証プライム・名証プレミア）

大和証券における全社員の ChatGPT 利用開始について

株式会社大和証券グループ本社（以下、当社）の子会社である、大和証券株式会社（以下、大和証券）は、対話型 AI の「ChatGPT※1」を導入しました。本年4月中には、大和証券の全社員約9,000人を対象に利用を開始する予定です。

「Azure OpenAI Service※2」を利用し、情報が外部に漏れないセキュアな環境により、全ての業務に利用可能になります。

ChatGPT は、世界的にも活用方法を模索中の状況であると認識しておりますが、計り知れない可能性を秘めており、当該技術を迅速に広く活用することで、新たな活用方法のアイデアを探ることが最も有益だと考え、これまで大和証券グループに蓄積してきたデータ・AI やクラウド等のデジタルへの知見を活かし、早期導入に至りました。

最終的に大和証券社員が ChatGPT のアウトプットの正確性を確認することを前提に、以下のような効果が期待できると考えています。

- 英語等での情報収集のサポートや、資料作成の外部委託にかかる時間の短縮や費用の軽減
- 各種書類や企画書等の文章、プログラミングの素案作成に用いることで、お客さまと接する時間や企画立案等、本来業務に充てる時間の創出
- 幅広い社員が利用することによる、さらなる活用アイデアの創出

当社は、「金融・資本市場のパイオニア」として、今後も新技術にいち早く挑戦することで、社会に対して新たな価値の提供に取り組んでまいります。

以上

※1 ChatGPT とは、大規模言語モデルの一種である生成 AI「GPT（Generative Pre-trained Transformer）」を、人間との対話向けに機能強化した対話型 AI。米国の OpenAI 社が 2022 年 11 月に公開
※2 マイクロソフト社のクラウドサービス「Azure」の申請許可制のサービスとして提供される

大和証券は情報が外部に漏れないような環境を作ったうえで、2023年4月より全社員を対象としたチャットGPTの運用を開始した

度なＩＴ人材の育成にも意欲的である。社員に対してエンジニア認定資格の取得を推奨しており、社内には合格者が多数存在する。ＩＴ部門に限らず、一般の社員がプログラミングの基礎知識を持つことで、チャットＧＰＴ活用による成果をさらに高めようという狙いだ。同社のコーポレートＩＴ部門の部長である宮本正和は雑誌の取材に応じて、次のように語る。

「ＩＴ人材をＩＴ部門に集めてシステム開発をしても、業務の当事者ではないので良いアイデアは出にくい。しかし、現場の社員が作れば役立つツールになる。チャットＧＰＴは現場社員がアプリを開発するための強力な武器になる」

「プログラミングの基礎を勉強した人ほど、チャットＧＰＴを活用してより難しいプログラムを作るのに役立てている」

また、業務の多くがＡＩに代替される懸念がある弁護士事務所でも、積極的にＡＩを活用することで、業務の効率化を図る工夫が進められている。情報収集や判例・類例の検索や調査などの作業は、生成ＡＩに任せることで、捻出した時間をプライベートにあてたり、新たなスキルアップのための勉強にあてたりすることができる。ただし、先の章で述べたように、チャットGPTには間違った情報を答える「幻覚」という現象がしばしば報告されている点は、こうした専門性の高い職種においてはとくに注意が必要だ。アメリカの司法試験では上位10%のスコアで合格したといわれているが、日本の司法試験では正解率は30%ほどだったという報告もある。英語文献の学習が中心であるチャットGPTにおいて、日本語の情報はまだ少なく、今後の改良・追加学習によって、さらに高度な業務をこなせるようになる可能性は大いにある。

また、一般のユーザー向けに法律の質問・相談ができるAIチャットサービスを提供してきた弁護士ドットコムでも、新たな取り組みがなされている。2023年5月から、過去の法律相談の蓄積をデータとして学習したチャットGPTによるチャットサービスの構築・試験提供を実施している。今後、AIとの対話を重ね、そのぶんデータが蓄積され、よりよい回答をチャットGPTに学習させていくことで、サービスの充実化を図れるのではないか、と同社社長の元榮太一郎は示唆する。「将来的にはウェブで入力しなくても、誰かに相談しているかのように相談者が電話で話しかけるだけで弁護士ドットコムのAIサービスが交通整理し、リアルの弁護士に電話をつないでいく。そういうような形もできるのではないかと思います」と、AIと人間が共同で仕事をこなす未来を同氏は語る。

ＡＩを人間の労働者の競争相手として考えるのではなく、あくまでも業務の効率化と生産性のアップを目指すためのアシスタントとしてＡＩを用いるというような、「ウィズＡＩ」的な働き方が今後は模索されることになるだろう。

生身の人間の価値はより高まる

このように言葉や数字に関わるデスクワークの類の多くが、チャットGPTに代替されるようになる半面、こうした生成AIにとって一つの障壁となるのは、生身を持たないことである。逆にいえば、生身を持つことが人間の強みなのだ。

経営共創基盤（IGPI）の共同経営者である塩野誠は、「チャットGPT後も、『生身の人間ができること』の価値はおそらく高いまま」と述べる。生身の肉体を持たないAIは、美味しいフレンチの店を紹介することはできるが、実際にその店に行き、料理を食べて味わうことはできない。あたかも知っているかのように語るだけなのである。

「物理的な移動や五感に基づいた経験談は人間にしかできない。そこに生身の人間の価値があります」と述べる塩野の指摘によれば、今後、生身を持たなくともできる仕事で稼ぐことは難しくなるという。会計士や税理士、経理のような仕事に代表される税務・財務関係の仕事は、ルールベースでこなせる仕事であるため、アルゴリズムが作られやすく、定型化されやすい。そのため、AIによって担われるようになる可能性が高いといえる。

他方で、「価値が高まるのは身体性の高い職業」と塩野はいう。寿司職人のように、「生身の人間がその人の感覚」で作ることで価値が生まれる仕事は失われることはない。同様の理由で、スポーツビジネスの価値も高まる可能性が高い。

■製造業の全自動化の難しさ

製造業においても、完全に人間が機械によって置き換えられることは、今のところなさそうだ。というのも、21世紀はＡＩに限らず、テクノロジー全般の発展に伴い、工場の自動化などがより進むと考えられてきたが、むしろ停滞的で限定的だからだ。「最小限の労働者で、より生産性と柔軟性に優れた自動化を達成する」という、いわゆる「照明不要」の製造業は、まだ達成されていない。

かつて１９８０年代にアメリカのゼネラルモーターズ（ＧＭ）が、トヨタ自動車や日産自動車など日本車に対抗するために生産の自動化を推し進めた「未来の工場」建設を発表したことがあった。この４０００台のロボット導入による「照明不要」の製造ライン構想は、実現すれば生産サイクルを最大2年短縮でき、労働者の生産性は３００％向上すると期待されていた。手動のシステムなどは撤廃され、人間の代わりに有能なロボットが仕事をすることで、照明をつける必要すらないと考えられたのである。ところが、技術的な問題もあり、この構想を実現するためのコストは、何千人もの労働者を雇う工場の生産コストをはるかに上回るものとなってしまった。実際の製造ラインにおいても、パーツの取り違えや塗装ミスなどが相次ぎ、結局、GMは「未来の工場」建設から撤退を余儀なくされたのである。

しかし、その後のロボット工学の発展は、ハードウェアの面でもソフトウェアの面でも目覚ましい発展を遂げている。1980年代のころに比べれば、より高いレベルで新しい分野でも自動化が進んでいるといえる。それにもかかわらず、工場が完全に自動化する、すなわち「照明不要」の状態の実現には至っていない。

2018年のアメリカ国勢調査によれば、アメリカの製造業企業のうち、ロボットによる自動化を利用している企業は10％に満たないという。2020年、新型コロナウイルス感染症の蔓延により、リモートワークが推進されて工場の自動化が加速すると見られたが、アメリカやドイツ、日本におけるロボット購入の水準は、2019年のそれを下回っている。

国家的なプロジェクトとして自動化を推進している中国でも、ロボット導入に多額の助成金が支払われるにもかかわらず、製造業でロボット化を推し進めている企業の割合はアメリカとほぼ変わらないのである。自動化テクノロジーを導入しても、生産性が上がるにつれて人間の労働者の雇用数は減少するどころか、増大しているという報告もあるくらいだ。

マサチューセッツ工科大学のベン・アームストロングとジュリー・シャーによれば、自動化は次の三つの点で柔軟性が制限されるため、企業は「照明不要」の目標を放棄し、人間の労働者に頼らざるを得ないと述べている。すなわち、「(製造業の自動化は)第一に、外部環境の変化に容易に適応できない。第二に、プログラミングや修復をする際に、特定の極めて技術的なスキルが必要である。第三に、人間のフィードバックや情報入力を受けずに運用される『ブラックボックス』になりがちである」。いわば人間の労働者のほうが、ロボットよりも柔軟性、想像力、即興的な対応力に優れている。

チャットGPTを生み出したオープンAIの創設者のひとりであるイーロン・マスクは、かつてテスラのモデル3の大量生産のために、「照明不要」の工場の実現に注力した。ロボット開発を推し進めたものの、満足な成果は得られず、マスク自身、工場の自動化を「いかれた複雑なベルトコンベアネットワーク」と呼んだ。その結果、テスラは1980年代のGMと同じように、方針を覆さざるを得なかった。自動化への投資を一部断念し、スキルの高い人間の労働者の雇用を増やしたのである。イーロン・マスクは人間の労働者のスキルを評価して、「人間が過小評価されている」とも述べている。

■チャットGPT以後の世界でも残り続ける仕事

このようにチャットGPT以後の世界においても残り続ける仕事とは、生身の人間の価値と結びつけられた職種や資格だといえる。

どんな職種や資格が残るのか。具体的に三つ挙げるとすれば、一つはAI開発を担うエンジニアである。チャットGPTをはじめとするAIは当然ながら人間の手で作られ、調整され、使用されている。AIの開発に欠かせない人材は今後、さらに需要が増していくだろう。年収でいえば、国内では2000万円以上、海外では1億円以上とすでに引く手あまたの状況である。専門教育においても、データサイエンスを学べる大学学部や、日本ディープラーニング協会などが行っている資格試験などの需要が増していく可能性もある。

二つ目は心理カウンセラーやホームヘルパー、介護福祉士といった人間に寄り添うような仕事で、AIにとっては難しい分野である。新型コロナウイルス感染症の流行下では、リモートワークが推奨される中、リモートワークが困難な職種としてケア労働に従事する人々がクローズアップされた。機械によって代替しづらい、こうした職種は、今後も雇用の機会が増えていくと同時に、価値の高まりから収入アップの可能性もあるだろう。

三つ目は建設業やスポーツ選手、宅配便や引越し作業などの運送業といった身体を用いた職種である。近年、運送業では人手不足が懸念されるほど、労働力の需給のバランスが崩れている。また、顧客の個々人のスタイル、個性に合わせて繊細な作業が要求される美容師などは、現在のところＡＩやロボットが代替することが難しい分野ともいえる。

プロンプトエンジニアの発展

チャットＧＰＴをはじめとする生成ＡＩの発展、導入によって、にわかに注目を集めたのがプロンプトエンジニアリング（プロンプト工学）だ。チャットＧＰＴやそのほかの生成ＡＩは、人間が質問（プロンプト）を入力することで、文章や画像などを生成してくれる。日本ではしばしばこのプロンプトのことを「呪文」と呼ぶが、このプロンプトが適切でないと、出力される生成物も満足な水準に達しないことが多い。

従来のＩＴ系エンジニア職では、プログラマーのように、プログラミング言語を駆使して指示文を作り、コンピューターを動かすというものだった。しかし、チャットＧＰＴがこれだけ広く普及したのは、専門性の高いプログラミング言語ではなく、日常的に用いられる自然言語による指示、操作が可能という点が最大の理由だ。

そこで今後、重要になるのが、自然言語で書かれたプロンプトを調整し、望ましい出力を得られるようにするプロンプトエンジニアリングである。近い将来、チャットＧＰＴのような自然言語系の生成ＡＩが主流となった場合には、従来のプログラマーではなく、プロンプトエンジニアのような存在が、生成ＡＩを使いこなす職種となっていくだろう。

脳科学者の茂木健一郎も雑誌の取材に応えて、プロンプトエンジニアリングの重要性がこれからもっと増していくと指摘する。「画像や映像の生成ＡＩでは、適切なプロンプトを与えることで大幅なコストダウンと時間短縮が可能になるだろう」と述べている。

適切なプロンプトを用いるスキルを身につけたプロンプトエンジニアは、いわばうまくＡＩを扱うことができるエキスパートである。生成ＡＩの普及に伴い、今後、ますます雇用需要が高まっていくと思われる。

すでに２０２３年3月末には、ブルームバーグがプロンプトエンジニアの雇用市場は急拡大していると報じている。同報道によれば、プロンプトエンジニアになれば、およそ33万５０００ドル（約４５００万円）もの年収を稼ぐことも可能だというから、驚きだ。

日本国内でもプロンプトエンジニアリングに対する注目は高まっている。各企業においても、プロンプトエンジニアの育成に力を入れたり、研修カリキュラムを提供したりするなど取り組みが進んでいる。また、中高生向けのプロンプトエンジニアリングの体験授業を提供する企業もある。

ブルシット・ジョブのない世界へ

2020年に急逝した文化人類学者デヴィッド・グレーバーは、現代社会を分析して、「ブルシット・ジョブ現象」なるものが存在することを、ウェブ上で発表した。同論文をもとにして書かれた書籍『ブルシット・ジョブ』は、日本でも翻訳版が話題を呼んだ。

デヴィッド・グレーバーの『ブルシット・ジョブ』では、無意味な仕事が増え、社会貢献の高い仕事が低賃金なのは「ブルシット・ジョブ」が原因だと指摘する
（邦訳『ブルシット・ジョブ』は2020年、岩波書店より刊行）

グレーバーの問いかけは、1930年に経済学者ジョン・メイナード・ケインズが述べた未来予測「20世紀末までには、テクノロジーの進歩によって週15時間労働が達成されるだろう」をめぐる言及から始まる。テクノロジ

ーは確かに進歩した。それにもかかわらず、週15時間の労働が達成されるどころか、むしろもっと労働時間は増えているのではないか。これが私たちの率直な実感だろう。

グレーバーは、テクノロジーの発達が、かえって労働者をより働かせるために活用されてきたのではないかと指摘している。これまで3日かかっていた仕事が、テクノロジーによって3時間に短縮されたとしても、そのぶん別の仕事が増えているのではないかと、グレーバーは考えたのである。そうした仕事の大半は、不必要で無意味なものではないかとも言及している。

1910年と2000年の雇用を比較すると、かつての工業や農業の分野では、奉公人や小作人と呼ばれるようなポジションの労働者は劇的に減った。しかし、そのぶん専門職や管理職、事務職や販売営業職、サービス業などは3倍に増えたという。これに加えて、金融サービスやテレマーケティングといった新しい産業が生み出され、企業法務、学校管理、健康管理、人材管理、広報といった部門が拡大していった。このような産業構造の変化に伴い、新たな職種・雇用が創出されていったのはよくいわれることだが、グレーバーは、生産に直接携わる仕事が減少し、その代わりに「管理部門の膨張」が起きている点に、現代社会の特徴を見出した。そして、そうした仕事の多くが本来ならば必要のない無意味な「ブルシット・ジョブ（クソどうでもいい仕事）」であると主張したのである。グレーバー自身が、管理職や人材管理などの仕事を、不必要で無意味と決めつけているのではない。むしろ、コンサルタントや会社法務に関わる仕事をしている人間たちの中には、自分の仕事が本当に社会にとって必要なのか疑問に思っている人たちがかなりの数、存在していた。これがグレーバーにとって大きな衝撃であった。ブルシット・ジョブに従事している人たちは、自分の仕事がまさに無駄な作業なのではないかと感じていたのだ。

『ブルシット・ジョブ』に先立って書かれた書物『官僚制のユートピア』の中では、グレーバーは同じ現代社会の特徴を、別の事例を用いて語っている。同書は「自由競争の市場に基づく資本主義においては、もっとテクノロジーが加速していいはずなのに、思った以上に進んでいないのはなぜか」という問いかけに基づいて書かれたものだ。

自由経済に基づくグローバリゼーションが進めば進むほどに、特許などの知的財産権を保護するための制度作りが必要となり、そのための手続きは増え続けていく。その結果、書類作成（ペーパーワーク）が業務の大半を占めて、イノーベーティブな仕事は減っていき、あたかも官僚制に代表されるような非効率的な状態が社会に広がり、テクノロジーの発展が鈍化しているのではないかとグレーバーは考察した。こうした状況をグレーバーは「全面的官僚制の時代」と呼ぶ。

『官僚制のユートピア』には、こんな逸話が出てくる。フランスのマルセイユ近郊にある製茶工場では、経験豊富な労働者たちがティーバッグをパッケージ化する作業をより効率的に行うために機械化を進め、効率性改善に励んでいた。その甲斐(かい)もあって生産高は向上し、利潤も上昇した。そうして得られた余剰金を工場の経営者たちはどのように活用したかといえば、労働者の賃金を上げるでもなく、労働者の休暇を増やすでもなかった。経営者たちは新たに中間管理職を設けて、雇用を増やしたのである。この製茶工場にはもともと2人の管理職がいるだけだったが、彼らの頑張りのおかげで十分な利潤を上げることに成功していた。しかし、経営者たちの目論見はより事業を拡大させることにあり、そのためにはもっと適切に業務の効率化を図り、生産性を向上させるべく、外部から管理職の人間を次々に投入していったのだった。こうして、数十名に膨れ上がった管理職は、労

The Utopia of Rules
On Technology, Stupidity, and the
Secret Joys of Bureaucracy
David Graeber
Author of *Debt: The First 5,000 Years*
"A brilliant, deeply original political thinker." —Rebecca Solnit

デヴィッド・グレーバーの『官僚制のユートピア』では、多くの規則を生み出す官僚主義がどこから来て、どのように我々の生活を形成しているのかを解説する
（邦訳『官僚制のユートピア』は2017年、以文社より刊行）

働者を監視するために工場を歩き回り、評価基準を設けて計画書や報告書を作るなどの書類仕事に従事した。これらの仕事は、本来ならば存在しなかった業務である。管理職というポジションを新たに作ったことで、生み出された仕事にすぎない。その結果、管理職の人間たちは、工場を海外に移転させるアイデアを提案したのだった。

グレーバーは、その工場を案内してくれた人物が「なぜそうなったか。たぶんプランをひねりださないと自分たちの存在理由がなくなるからだろう」と推測したのを紹介している。

まさに、こうした管理業務や書類仕事の多くが、チャットGPTをはじめとする生成AIの発達によって、順次置き換えられていく仕事なのだろう。そのとき、ようやくこうしたブルシット・ジョブが一掃され、ケインズが予言した「週15時間の労働」だけで済む社会が訪れる日がやってくるのかもしれない。

グレーバーは、こうしたブルシット・ジョブは本来的には不必要であるにもかかわらず、高給取りが多いと述べている。これとは反対に、私たちの社会を維持するために必要不可欠な仕事、たとえば清掃業や福祉・介護などのケア労働に従事する人たちの給与は基本的に低い。このような矛盾も、AIの導入によって改善される可能性も示唆されているのではないだろうか。

■ケインズの予言は成就するのか?

チャットＧＰＴをはじめとするＡＩの導入は、多くの仕事に影響を与え、その業務の多くが代替されていくと考えられる。人類（労働者）対機械（ＡＩ）というような図式で、機械によって人間の仕事が奪われ、機械による人間の支配が始まる。そんなディストピア的な発想が語られることも多い。

しかし、本章で見てきたように、ＡＩの導入によって必ずしも雇用のすべてが失われるのではない。一部の業務が置き換えられ、効率化・高度化が図られる点にこそ、ＡＩ導入の価値と意義がある。私たちはＡＩを競争相手として扱うのではなく、あくまでも便利な道具として、あるいは優秀なパートナーとして接するべきだろう。

テクノロジーの進展に伴って、不必要とも思えるほどに多くの書類仕事が増しており、時折、その仕事に従事している本人が自らの仕事をブルシット・ジョブと呼び、必要ではないと感じているケースがあることは、先に述べた。こうした言葉を用いて行う書類業務は、これまでのテクノロジーでは部分的な代替にとどまったが、言語の生成に特化したチャットＧＰＴの登場によって、状況は一変しつつある。このようなブルシット・ジョブの多くが、ＡＩの導入によってなくなる可能性もあるのだ。

もちろん、資本を持った一部の人々しかAIを活用できない場合、私たちの多くはただ雇用を失い、貧しくなっていくだけかもしれない。富める者はさらに富み、貧しい人はさらに貧しくなるのであれば、これまで懸念されてきたようなディストピア的な未来が訪れるだろう。

アメリカの経済学者タイラー・コーエンは著書『大格差』の中で、「すべての人が機械の所有権を一部ずつもつようになれば、ディストピアというよりユートピアが出現するかもしれない。あるいは、政府が機械の所有権をもち、それによる収入を使って、機械の所有権をもてなかった人や、機械との競争に敗れて職に就けない人を救うようになるかもしれない」と述べている。

もちろん、すべての人がAIの導入によって、その恩恵にあずかることができるかは定かではない。さまざまな懸念があるからこそ、第2章で述べたように、規制論が盛んに議論されている。

AIが高度に発達した社会においては、生身を持つ人間だからこそできることに価値があるとも本章では述べた。それこそAIにはできないことなのである。また、生身の人間にできることは、何も肉体的なことだけではない。そもそもAIを生み出したのが人間であるように、人間が持つ「創造性」がAIによって置き換えられるのは、今のところ困難だとされている。まさにそこに人間であることの価値があるといえそうだが、ただすべての人間がそこまで創造的であることが可能なのだろうか、という疑問も残る。

フランスの経済学者で哲学者のダニエル・コーエンは、こうした現代社会を指して、「創造的であれ！　さもなければ、死だ」と述べるとともに、「誰もが芸術家になれるわけではないし、そんな社会は不幸だ」とも付け加えている。

そもそも創造的であるとは、どんなことなのか。議論の余地を多分に含んでおり、すべての人間が創造的であることの困難さが際立ってくるのではないかとも思われる。現在でもそうであるように、創造的な仕事に就ける人間は、結局は一握りなのではないかと想像することはたやすい。

それでは、ＡＩに仕事を置き換えられ、仕事をする必要がなくなった社会において、人々はどのように収入を得るべきなのか。経済学者の井上智洋は、ＡＩなどによって純粋に機械化された経済社会においては、社会保障とセットで考えなければならないと述べている。とりわけ、労働者の所得を保障するために最もふさわしい制度は「ベーシックインカム」ではないかとする。

「ベーシックインカム」とは、収入の水準によらず、すべての人々に最低限の生活費を一律に給付する制度のことをいう。しばしば生活保護制度と混同されがちであるが、生活保護の場合、対象者を生活に困窮している人間に限定しており、一定の審査に通らなければ支給を受けることができない。ベーシックインカムの場合には、国民全員に一律に最低限の生活費を支給する特徴がある。

ＡＩによって代替され、職を失ったとしても、こうした充実した社会制度があれば、少なくとも飢える心配はない。必要最低限の生活の保障がなされるかどうかが、ＡＩがさらに高度化した時代における社会において、大きな鍵となるのかもしれない。ベーシックインカムについては、財源の問題など課題も多い。ＡＩの導入によってより生産性が向上できれば、その余剰を財源とすればよいという発想もあるが、問題は山積みだ。

しかし、もし仮にＡＩが人間の代わりに仕事をし、失われた雇用のぶんの収入がベーシックインカムのような社会保障制度で賄われるのならば、そのときはじめて私たちは、ケインズが１００年近く前に予言した「週15時間の労働」という暮らしが実現できるのかもしれない。

第4章

急増するチャットGPT関連製品・サービス

いち早く文章生成ＡＩを取り入れたマイクロソフト

本書ではこれまでさまざまな議論を呼んでいるチャットＧＰＴについて紹介してきた。人間の雇用を奪うのではないかという不安や、犯罪などに使われる可能性から欧米を中心に規制論が議論されるとともに、多くの企業ではすでにさまざまな業務で導入が進んでいる。

とりわけ早くからオープンＡＩの事業に注目し、２０１９年７月から同社に10億ドルもの出資を行い、パートナーシップ契約を結んで協業してきたのが、マイクロソフトである。２０２２年11月のチャットＧＰ

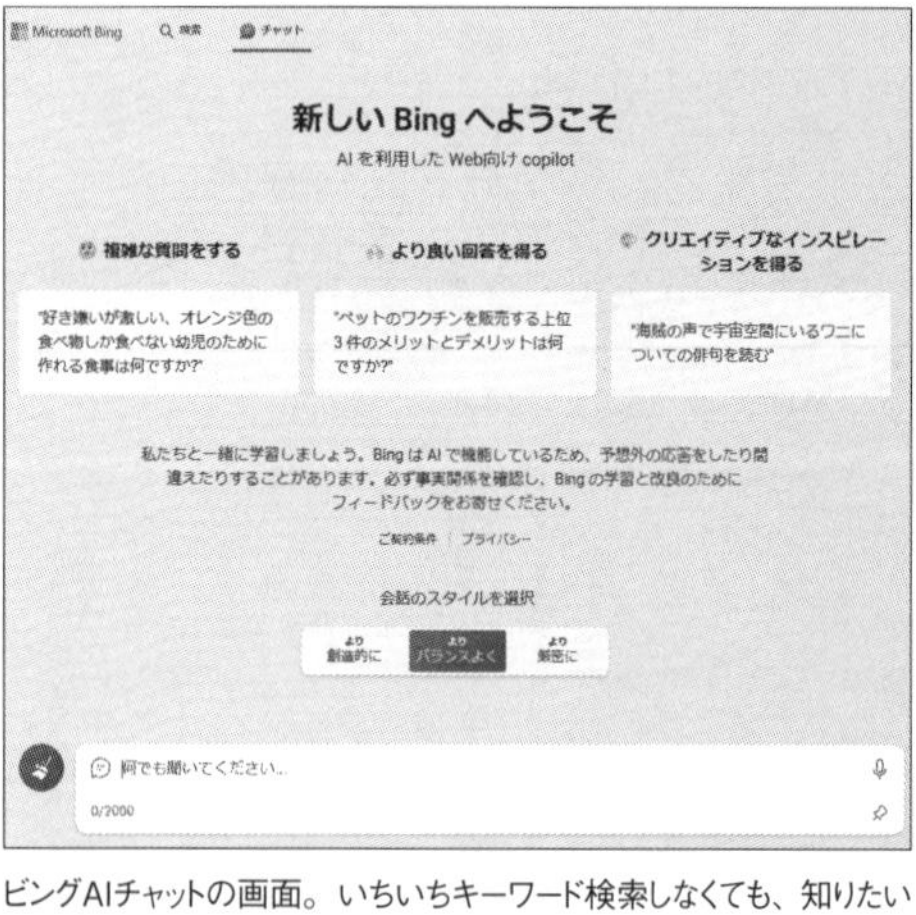

ビングAIチャットの画面。いちいちキーワード検索しなくても、知りたいことがわかる

T発表直後の2023年1月23日には、追加出資を行うことを宣言した。そのわずか2週間後、2023年2月には、自社の検索エンジン「ビング」にGPT－4を組み込んだ文章生成AI「ビングAIチャット」を公開した。また、ブラウザー「エッジ」にも同じくビングのチャット機能を搭載し、文書の要約などの機能をサイドバーで利用できるようになった。

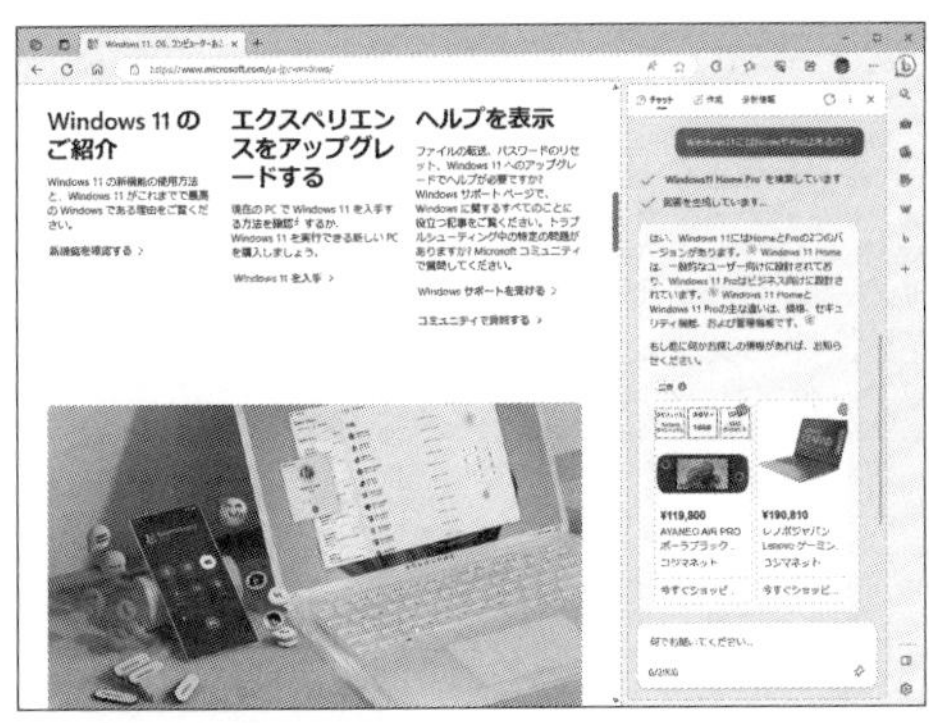

エッジの右上にある「b」アイコンをクリックすると、このようにビングAIチャットがエッジ内部で利用できる

そもそも検索エンジンは必要な情報を探すためのツールであるが、自分が適切な検索ワードを入力しないと、必要な情報にヒットしないことがよくある。繰り返し検索し直し、多くのウェブサイトを閲覧することで、ようやく求めていた情報に辿り着く。従来の検索エンジンだけでは、労力と時間を要していた。

しかし、文章生成AIを用いれば、厳密な検索ワードは必要なく、普段使っているような話し言葉で検索したい情報を指定するだけでいい。自分

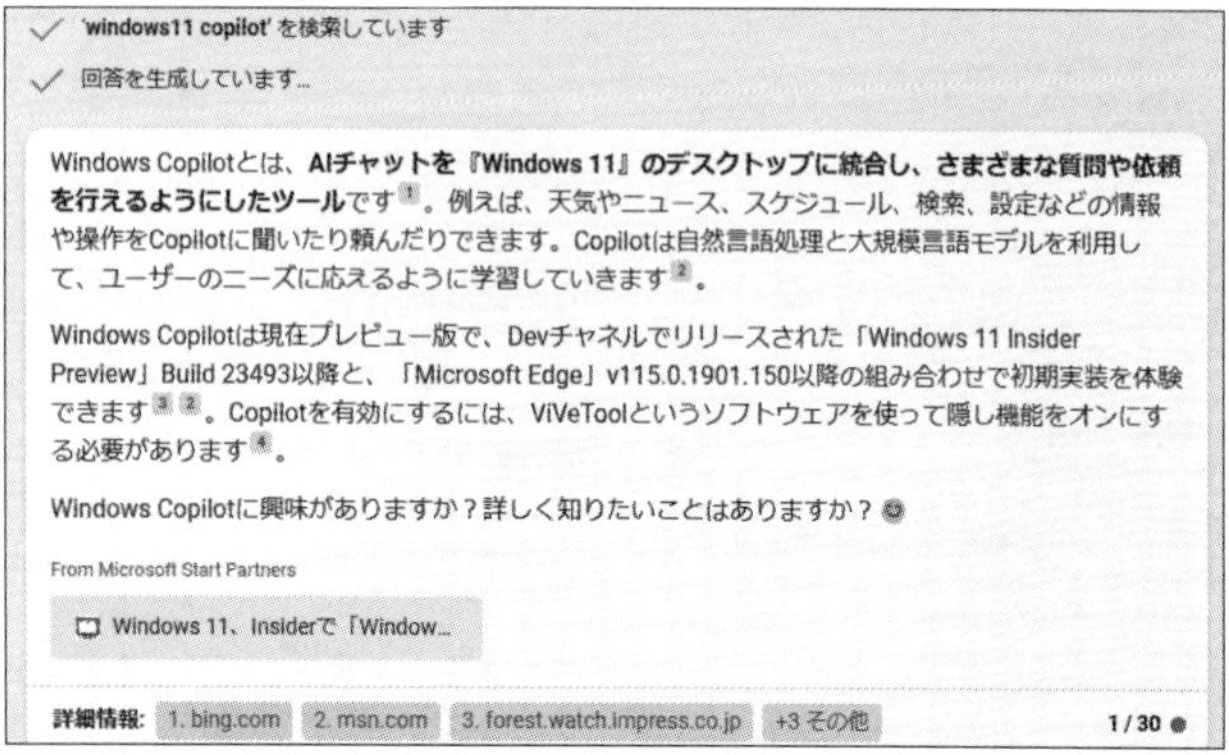

✓ 'windows11 copilot' を検索しています

✓ 回答を生成しています...

Windows Copilotとは、**AIチャットを『Windows 11』のデスクトップに統合し、さまざまな質問や依頼を行えるようにしたツール**です[1]。例えば、天気やニュース、スケジュール、検索、設定などの情報や操作をCopilotに聞いたり頼んだりできます。Copilotは自然言語処理と大規模言語モデルを利用して、ユーザーのニーズに応えるように学習していきます[2]。

Windows Copilotは現在プレビュー版で、Devチャネルでリリースされた「Windows 11 Insider Preview」Build 23493以降と、「Microsoft Edge」v115.0.1901.150以降の組み合わせで初期実装を体験できます[3][2]。Copilotを有効にするには、ViVeToolというソフトウェアを使って隠し機能をオンにする必要があります[4]。

Windows Copilotに興味がありますか？詳しく知りたいことはありますか？

From Microsoft Start Partners

Windows 11、Insiderで「Window...

詳細情報: 1. bing.com　2. msn.com　3. forest.watch.impress.co.jp　+3 その他　1 / 30

ビングAIチャットに質問すると、回答の最後の部分にリンクが表示されることがある。これが回答の根拠となるウェブページへのリンクだ

の知りたい情報をＡＩが自動的に汲み取り、求める回答を返してくれる。また、わざわざリンク先のウェブサイトを閲覧しなくとも、知りたい情報をＡＩが自動的にまとめてくれるのである。ブラウザーのエッジは２０２３年３月中旬には、ＡＩチャット機能が組み込まれ、一般利用できるようになった。

　検索エンジンに組み込まれたＡＩチャットでは、基本的には過去の情報に基づいて学習し回答を作成するチャットＧＰＴとは異なり、インターネット上にある最新の情報に基づいて、文章の作成が行われる。また、チャットＧＰＴは正確な回答と誤った回答の区別がつかないというデメリットがあったが、ビングＡＩチャットの場合には、情報の出典が文章の下部（「詳細情報」欄）に明記されている。そのため、気に

なった回答では、出典のウェブサイトを閲覧して確認することができるのだ。

もうひとつ、特筆すべき点は、ビングＡＩチャットは調べたいことに関する解説記事を書くことに優れているところだろう。回答の末尾で、より詳細な回答を作成するための再質問候補を表示してくれる。ＡＩからの質問に答えることで、さらに調べたいことを深掘りしていくことができるのだ。ＧＰＴ－４を組み込んだマイクロソフトのビングＡＩチャットは、チャットＧＰＴができることはほとんどこなせる。コラムやブログの記事の草稿として文章を作成してもらうこともできれば、テーマを設定したストーリー形式の文章を作ることもできる。

自分でさまざまなウェブサイトを閲覧して、情報を収集し整理をするのが従来の情報検索方法だった。ビングＡＩチャットは、それを効率化できる。また、ビングＡＩチャットで対話を繰り返すことで、思わぬアイデアを得られることもあって、クリエイターにとっても有益なツールだといえる。チャットＧＰＴには無料版と有料版があるが、現在のところビングＡＩチャットは無料で公開されており、その手軽さも魅力的だ。

■ウィンドウズからマイクロソフト・オフィスまでＧＰＴを積極導入

検索エンジン「ビング」やブラウザー「エッジ」へのＧＰＴ導入にとどまらず、マイクロソフトは矢継ぎ早に生成ＡＩを組み込んだ製品の発表を行っている。２０２３年３月14日にオープンＡＩが最新版のＧＰＴ－４を公開後、マイクロソフトはすぐに自社の代表的な製品であるマイクロソフト・オフィスなどにＧＰＴ－４を組み込んだ製品「マイクロソフト３６５コパイロット」（以下、コパイロット）の提供を発表した。これにより、ワードやエクセル、パワーポイントといったマイクロソフトの代表的なアプリケーションで、ＧＰＴ－４を活用することができるのである。

たとえば、財務データをエクセルで管理する場合、それなりの経験を積んだ財務担当でなければ扱いは困難だ。しかし、コパイロットで処理できれば、複雑な表計算を読み解いたり、入力したりする必要もない。普段使っている言葉で「四半期の業績を分析して、傾向を５つに要約して」と入力するだけで、ＡＩが教えてくれる。シフト表やスケジュール表などをエクセルで管理している場合もあるだろう。これもいちいちセル入力をしなくとも、コパイロットに要望を書けば、ＡＩが計画表のリストを自動で作ってくれる。

また、コパイロットに指示をすれば、ワードの資料をもとに、自動的にプレゼンテーション用のパワーポイントのスライドも作ってくれる。詳細な指示でなくても、タイトルやイメージ画像のデザインまで、ＡＩが考えて作成してくれるのである。スライドに使用する画像も自分で探す必要はなく、イメージを言葉で伝えておけば、ＡＩが候補画像を自動で生成してくれる。

２０２３年5月にマイクロソフトが発表した報告では、表計算などに利用されるエクセルや文章・資料作成を行うワード、プレゼン用のスライド作成に用いられるパワーポイントの利用時間は、業務時間全体の４割近くに達する。内訳はエクセルが18％、ワードが10％、パワーポイントが８％である。業務時間の多くが、このような作業に追われていると考えると、ＧＰＴ－４を導入することで、より効率化されて業務時間も短縮されるに違いない。

「マイクロソフト３６５コパイロット」のコパイロットとは「副操縦士」という意味である。ＧＰＴ－４を導入したこれらのマイクロソフトのアプリが、実際の副操縦士が操縦士を補佐してくれるように、私たちの仕事の手助けになってくれる。マイクロソフトのグローバルヘッド・オブ・マーケティングのディヴィヤ・クマーは、「私が操縦士だとしたら、ＡＩはまるで隣にいて助けてくれるような存在」だと語っている。

■ウィンドウズ11にコパイロット機能を実装

さらに、２０２３年5月に開催したマイクロソフトの年次イベントで、コーポレー

本書執筆時点では、インサイダープレビュー版をインストールし、さらに特別なツールを使わないとコパイロットは有効にならないが、近日中にだれでも使えるようになる予定だ

ト・バイスプレジデントのユセフ・メディがOSソフト「ウィンドウズ11」に、対話型AIを組み込んだコパイロットの機能を実装することを紹介している。ウィンドウズを立ち上げると、サイドバーが画面右に現れて、AIチャット機能を利用することができる。AIに質問することで、OS自体の設定やアプリケーションの操作などが可能だ。AIの手助けによって、パソコンの専門知識がなくとも、より簡単にパソコンを扱えるようになる。

2023年6月29日には、大幅にアップデートされたウィンドウズ11インサイダープレビューのビルド23493の提供が始まっている。現時点では、たとえば「スクリーンショットを撮って」「ウェブサイト

「無人島で暮らす鳥の話を書いて」といった機能的な指示から、「無人島で暮らす鳥の話を書いて」といったストーリーの文章作成まで行うことができる。複数の圧縮ファイル形式に対応できるようにサポートが拡大されるなど改良が加えられており、対応環境に応じて順次展開していく予定だという。

こうしたマイクロソフトの迅速な動きに呼応して、企業でもGPT搭載のサービスを利用する流れも出てきている。日本国内では、パナソニックコネクトですでに導入されている。２０２３年2月、マイクロソフトがクラウドサービス「アジュール」上で提供しているＧＰＴ－３・５をベースとしたサービスを国内の全社員に利用できる環境を整えている。

マイクロソフトでは、アジュールを主力とするインテリジェントクラウド部門が社内全体の売上高の38%、営業利益の39%にまで達している。また、マイクロソフト３６５を中心としたプロダクティビティー&ビジネスプロセス部門でも、売上高の32%、営業利益の36%となっている。いち早くオープンＡＩと協業し、ＧＰＴの導入・実装に着手してきたマイクロソフトが、ＡＩチャットの製品・サービスにおいては頭一つ抜けた状態になっているといえるだろう。

マイクロソフトに出遅れたグーグルの「緊急事態宣言」

マイクロソフトは早くから生成AIの実装・導入に手をつけていたが、これに対して大きく出遅れたのがグーグルである。LLM（大規模言語モデル）の開発においては、そもそもチャットGPTのベースとなったトランスフォーマーをいち早く世に送り出していた。

しかし、グーグルは、とくに画像生成AIに関して、偏った思想に基づく偏見や差別的な意見・情報や画像の一部を入れ替えて視聴者を混乱させるディープフェイクのリスクがあることを挙げ、倫理面や安全面を理由にモデルやデータなどの一般公開はしないとしていた。研究開発は進めながらも、生成AIを自社の製品・サービスに実装しないという点では、かなり厳格な態度を取っていたグーグルだが、それには同社特有の問題があった。

グーグルは検索エンジンの世界的シェアによって、GAFAMとまで称されるほどのビッグテック企業となった。日本でも、「とりあえずググれ」というフレーズが「検索する」「調べる」の代名詞的な表現で使われてきたことからもわかるとおり、圧倒的なシェアだったといえる。そして、グーグルの収益の多くは、検索結果の中に広告を表示することで得られていた。そのため、生成ＡＩを組み込んだチャット機能が代替するようになれば、グーグルを支えるビジネスモデルが一気に崩れてしまいかねない。

それゆえに、オープンＡＩがチャットＧＰＴを公開してからひと月たらずで、グーグルは社内に「コード・レッド（非常事態）」を宣言せざるを得なかったのである。そのあと、マイクロソフトによるＧＰＴ－４搭載の検索エンジン「ビング」は、まさにグーグルにとっての悪夢が現実化した瞬間であった。

この非常事態宣言以降、これまで人工知能の開発でトップをひた走ってきたグーグルは、自社製品・サービスとＡＩ技術の統合を推し進め、巻き返しを図ろうとしている。

■ 巻き返しを図るグーグルの「バード」「デュエットＡＩ」

２０２１年に自社で開発し、チャットＧＰＴのベースともなっている大規模言語モデルのトランスフォーマーを用いた「ラムダ（LaMDA）」をリリース。２０２３年２月には対話型ＡＩサービス「バード（Bard）」を自社の検索エンジンに実装することを発表し、テスト公開に踏み切った。しかし、同サービスの発表時に公開されたバードのデモンストレーションでは、AIチャットが誤った解答をしたことで、多くのユーザーの期待感を裏切るかたちとなった。実際にバードの発表後、グーグルの持ち株会社で生成AIの開発を進めるアルファベットの株価は、8％も下落した。時価総額でいえば、およそ15兆円を一瞬で失ってしまったことになる。

とはいえ、グーグルは矢継ぎ早に新たな手を打ち出している。同年5月10日に開催されたイベント「グーグルI／O」では、新たに検索エンジンに生成AIを組み込んだ「SGE（Search Generative Experience）」の開発を発表。同サービスでは、ユーザーは最初の質問さえ入力すれば、新たな追加質問をわざわざ打ち込まなくとも、AI自身が追加質問案を複数用意してくれる。マイクロソフトのビングとよく似た機能といえる。バイスプレジデントのキャシー・エドワーズが「検索をスマートかつシンプルにする」と述べたように、同社の主力である検索エンジンをより充実したサービスに練り上げるべく、あえてAIの実装に踏み切ったとも取れる。

また、メールや文章作成などのツールが搭載された、ビジネス向けのクラウドサービス「グーグル・ワークスペース」には、グーグル開発の最新LLMである「パーム2（PaLM 2）」をベースとした機能を追加するとしている。

旧モデルのパームが、おもに英語のデータを事前学習していたのに対して、パーム2

では100以上の言語を事前学習させている。プログラムのコード生成や数学、論理的思考などの能力に優れ、同社の25の製品・サービスに搭載される予定である。このパーム2に基づく新機能は「デュエットAI」と命名されたが、注目の機能とされるのが、「サイドキック（Sidekick）」である。発表スライドの内容をもとに、発表用の原稿を自動で生成してくれる。

　また、メールや文章作成、表計算でもAIが自動で作成してくれる機能を搭載しており、プレゼン用のスライドの作成も行ってくれる。いずれも、マイクロソフト365コパイロットと似た機能が、グーグルの製品・サービスで行えるようになる。

　公開デモでは不評を買ったバードも、いち早く改良が加えられている。パーム2がベースに組み込まれることになっており、言葉だけでなく画像で回答する機能や、プロンプト自体に画像を組み込める機能が追加される。また、アドビの画像生成AIとも連携して、テキスト入力すれば画像生成も可能になる予定だ。

「AIの民主化」を目指すメタ

世界を席巻するビッグテック企業であるＧＡＦＡＭのうち、いち早くチャットＧＰＴとの協業を進めたマイクロソフトと、人工知能開発でトップを走ってきたグーグルの新製品・サービスについてこれまで見てきた。それではそのほかのビッグテック企業は、チャットＧＰＴや生成ＡＩに関してはどのような対応をしているのだろうか。

旧フェイスブックのメタ（Meta）もまた、生成ＡＩやＬＬＭの開発においては、非常にポテンシャルを持った企業の一つである。これと同時に、メタの特徴は開発した生成ＡＩやＬＬＭを、オープンソースとして一般に公開している点である。２０２３年２月には、事前学習済みのＬＬＭ「ラマ（LLaMA）」をオープンソースとして公開に踏み切っている。これにより、数多のチャットＧＰＴクローンが登場しており、まさにメタは「ＡＩの民主化」を推し進めているといえるだろう。

たとえば、２０２３年４月に、オープンソースとして公開されたＡＩ「ＳＡＭ（Segment Anything Model）」がある。このＳＡＭを用いれば、画像データ上のあらゆる被写体を高精度にくり抜くことができ、またプロンプトによってくり抜き方自体を指示することもできる。

従来のモデルでは、被写体の高度なくり抜きを実現するために、同じ被写体が含まれるデータを大量に学習させなければならなかった。たとえば、猫を被写体とするならば、膨大な猫の写真画像を学習してくり抜き方を学ばせる必要があったのだ。問題は、学習していない被写体の種類には対応できない点だった。ＳＡＭの場合、10億以上もの被写体を示す情報が与えられた画像データ１１００万枚を学習させている。その結果、「オブジェクト（対象、物体）とは何か」という抽象的な概念をも学ぶことを可能とし、学習したことがない被写体のデータであっても、「画像や動画に含まれるありとあらゆるオブジェクトを識別できる」と説明されている。

また、チャットＧＰＴの場合、プロンプトは言語の入力のみであるが、ＳＡＭではテキストだけでなく、マウスによる場所指定もプロンプトとして使えることが強みの一つだ。「岩の上にいる猫をくり抜いて」と入力するのではなく、被写体の猫そのものをマウスで指定すればよい。そのため、利便性は格段に優れているといえるだろう。

先に示したように、メタの特筆すべき点は、これらのモデルをオープンソースとして一般に公開している点である。だれしもがこのＡＩモデルを活用することができるのも魅力の一つだ。メタによると、SAMの場合、世界の半導体製造をリードするエヌビディアの画像処理半導体（GPU）A100を256個も使用し、3〜5日ほどの時間を費やさなければならないという。アマゾンのウェブ・サービスで同様のA100を搭載するマシンを利用すると仮定した場合、およそ、1000〜1600万円の費用が必要になってくる。そのような学習済みの機械学習モデルをオープンソースにしているのだから、極めて画期的である。

SAMのような画像加工のAIだけにとどまらず、テキスト、画像・動画、深度（3次元）、熱（赤外線）、動き（慣性測定ユニット）という6種類のデータを統合し、一つのベクトルとしてマルチモーダルAI「イメージバインド（Imagebind）」も、メタは公開している。しかも、オープンソースでだ。

私たち人間は、「猫」「cat」といった文字であったり、猫そのものの画像であったり、「ニャーニャー」という鳴き声や猫の身体を撫でたときの手触りなど、そのすべてが猫を表す「情報」として理解する。これと同じように、複数の種類のデータを統合するマルチモーダルなAIは、まるで人間の情報処理と似たかたちで、画像から音声を探したり、音声から画像を探したりすることができるのである。生成AIのモデルと組み合わせるならば、音声から画像を作成することも可能だ。チャットGPTは基本的にはテキストからテキストを生成する機能を有しているが、こうしたマルチモーダルAIと生成AIの組み合わせは、さらに別の可能性を秘めている。

■メタはなぜ生成AI製品を作らないのか？

このようなさまざまなモデルを開発し、オープンソースとして公開しているメタであるが、今のところチャットGPTのような生成AI製品を自社で製作・公開はしていない。CEOのマーク・ザッカーバーグによれば、生成AIを用いた製品・サービスの提供を行う方針でいることは確かなようだ。フェイスブックやインスタグラムなどのコンテンツで利用できるようにしたり、チャットボットとしての活用なども検討されているという。しかし、こうした製品がまだ登場していないのはなぜだろうか。

メタのCEO、マーク・ザッカーバーグ

その理由として、ロイター通信が指摘

するのは、生成ＡＩ用のデータセンターの設置が間に合っていないという点である。同記事によれば、２０２２年の段階で、メタは機械学習モデルの訓練と推論の両方で、ＧＰＵを用いる方針に転換したという。それ以前には、訓練にはＧＰＵを、推論には自社製のＡＩチップを用いる方針であった。

しかし、ＧＰＵの利用には膨大な電力を消費するとともに、発生する機器の熱をいかに冷却するかが問題となる。とくにＧＰＵは従来の空冷ではなく、水冷方式でなくてはならない。また、データセンター内のネットワークにも広帯域が求められる。そのためにはサーバーやデータセンター自体を造り直さなければならないのだ。２０２２年10月に、メタは水冷方式のＧＰＵ搭載サーバーを採用するとともに、データセンターの設計をやり直し、従来型のデータセンター建設をキャンセルしている。ところが、この生成ＡＩに対応したデータセンターの建設には相当な年数を要するのである。ロイター通信の記事は、まだこのデータセンターが完成に至っていないことが、

アップルは、ビジョン・プロを2024年にアメリカで発売すると発表した。価格は約3500米ドル（約50万円）

メタがＡＩ製品の市場投入に二の足を踏んでいる最大の理由であるとしている。

同センターに投じられた設備投資の資金は、22年1～12月期で320億ドル、23年1～12月期では、300億～330億ドルにものぼる見込みだという。日本円にすれば合わせて約8兆7000億円もの巨額投資である。生成ＡＩ市場参入によって、果たしてメタが新たなゲームチェンジャーとなるかどうか。今後の展開に注目である。

アマゾンとアップルは生成AIブームにどう打って出るのか？

ＧＡＦＡＭのうち残るは、アマゾンとアップルである。アマゾンは、２０２３年4月に、クラウドサービスＡＷＳ上で、生成ＡＩを利用したアプリ開発を支援する「アマゾン・ベッドロック（Amazon Bedrock）」を発表している。独自開発したＬＬＭ「タイタン（Titan）」の提供や、ＡＰＩ（Application Programming Interface、アプリ同士をつなげて機能性を拡張すること）を通じて、タイタンや他社製のＬＬＭを利用可能にするサービスなどの提供を掲げている。ＡＷＳジャパン技術統括本部・本部長の小林正人によれば、「顧客が生成ＡＩを使ってやりたいことによって、最適な基盤モデルは異なる。ベッドロックでは複数の基盤モデルから選択できる」という。

他方、アップルは今のところ、生成ＡＩ搭載の製品やサービスに関する動きは見られない。２０２３年6月に開催された「ＷＷＤＣ ２０２３」では、かねてから期待されていたＭＲヘッドセット「ビジョン・プロ」が発表され注目されたが、生成ＡＩについては沈黙を守ったままだ。ウォール・ストリート・ジャーナルの取材によれば、アッププルでは社員に対して情報漏洩の恐れから、チャットGPTの使用を禁止しているという。また、関係筋への取材では、アップルでは独自のLLMの開発を進めているのではないかとも噂されているようだ。確かに、アップルは2020年に、AIのスタートアップ2社を、それぞれ2億ドル（約270億円）と5000万ドル（約68億円）で買収しており、必ずしも生成AIビジネスに関心がないとは言い切れない。

生成AIに関するスタートアップに多く投資しているファーストマーク・キャピタルの投資家マット・タークは、こうしたアップルの沈黙を同社独自のマーケティング戦略であると一定の評価を示した。「実際アップルは、マイクロソフトやグーグルといった競合他社と比べると生成AIの分野では遅れを取っていています。しかし、他社に追いつこうとするのではなく、AIで独自の競争を展開する企業だと自らを位置づけたことは、賢い選択だといえるでしょう」とタークは語っている。今後、どのようなかたちでアップルが生成AI市場に参入してくるのかに期待したい。

さまざまなチャットGPT製品・サービス

本章では、これまでマイクロソフト、グーグルなどをはじめとするビッグテック企業におけるチャットＧＰＴの事業・サービスを紹介してきた。

データの分析基盤を提供するデータブリックスの創業者でＣＥＯのアリ・ゴディシは、生成ＡＩの登場は、「まるでゴールドラッシュだ。アメリカの多くの企業経営者が金を掘り当てようとしている」と述べた。「ゴールドラッシュ」の到来とも称されるだけに、多数の企業が一攫千金を求めて、続々と自社製品・サービスを展開しつつある。

とくにチャットＧＰＴはその汎用性の高さや気軽に使用できることから、スタートアップやベンチャー系の企業でこそ、より多様性に開かれた用途での、サービス・製品が提供されつつあるといえるだろう。

以下では、チャットＧＰＴや生成ＡＩに関連したサービス、製品を紹介していこう。

■人気プラットフォーム「ノート」に生成ＡＩの導入

文章生成ＡＩでは、人気のコンテンツプラットフォームである「ノート」でも導入が進んでいる。ノートは、クリエイターが文章や画像、音声、動画などを駆使した記事を投稿し、そうしたコンテンツを閲覧しながら、ユーザーはクリエイターを応援するというメディアプラットフォームである。無料記事に加えて手軽に有料記事を配信することもできるのが人気を集める理由だ。ビジネスや趣味、料理のレシピであったり、食べ歩きのエッセイや小説などの創作物など、さまざまな分野の記事を楽しむことができる。

「ノート」は、ブログサービスとしても利用されることが多い
https://note.com/

このノートが文章生成ＡＩのサービスを導入することを発表したのは、２０２３年２月のことだった。まだベータ版の段階ではあるが、機能の概要が公開されている。それによれば、①記事の切り口の提案、②記事タイトルの提案、③概要から目次の作成、④プレスリリースの構成の作成、⑤童話の案の作成、といった機能を、文章生成ＡＩで利用することができるという。

このＡＩアシスタント・サービス発表直後、ノートの株価は１・５倍もの価格まで高騰している。同サービスにはＧＰＴ－３の技術が用いられているという。

■ 文章生成ＡＩを実装したさまざまなサービス

チャットＧＰＴのような文章生成ＡＩは、言葉に関することであれば、さまざまな用途で利用することができる。たとえば、さまざまなメモの管理ができる「ノーション（Notion）」では、個人のメモツールに加え、チームのタスク管理なども行える。さまざまなアプリで見た情報を一カ所にまとめて管理することができたり、まとめた情報をウェブサイトとして情報公開することも簡単にできる便利な統合ツールである。

同サービスでも、文章生成ＡＩを組み込んだサービスが始まっている。２０２３年２月に正式にリリースされた。解説記事の作成や要点のまとめなど、基本的には、チャッ

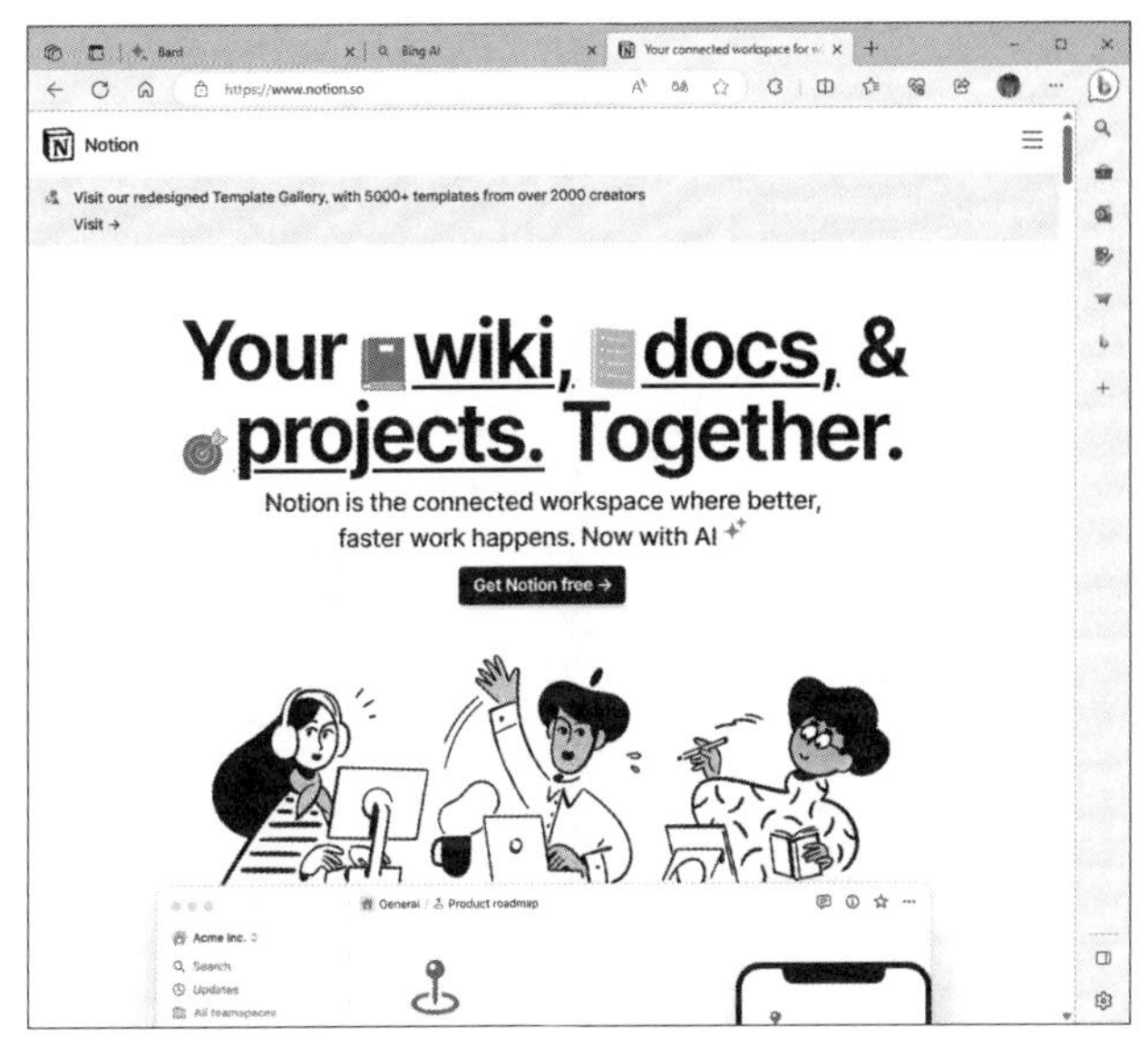

「ノーション」は、メモを書くのにも便利だが、仕事のコラボツールとしても利用できる
https://www.notion.so/

トGPTやビングAIチャットなどと同様の機能を有しているといえるが、ノーションの利便性は、AIによる効率化が加わることで、さらに向上すると思われる。なお、ベータ版のノートAIアシスタントと同じく、GPT－3の技術が活用されている。

より仕事に使えるサービスといえば、さまざまな資料作成に使える生成AIサービスだろう。たとえば、「スライドGPT（SlidesGPT）」というサービスでは、スライド資料の概要を文字で入力するだけで、スライドとプレゼン用の原稿まで自動で作成してくれる。スライドに使われる画像は、おもにフリー画像サイトの「アンスプラッシュ（Unsplash）」などから適したものを自動で選んでくれる。基本的には無料だが、作成したスライドをダウンロードする場合には、1ファイルにつき2・5ドルがかかる。

似たようなスライド生成のサービスには、「センドステップス（Sendsteps）」というものもある。テーマと対象者を設定すると、構成・目次案から複数のスライドを自動で作成してくれる。センドステップスはGPT－3の技術が使用されているようだ。

■広告・コピーライティング・アイデア出しに使えるAI

文章作成AIによって、手軽に広告の文言を考えてくれるサービスも展開されている。いずれも他サイトからのコピーなどではなく、自然なオリジナルの文章として出力してくれるため、使い勝手もいい。たとえば、「ジャスパー（Jasper）」というサービスでは、ウェブサイトの広告記事や、ソーシャルメディアへの投稿記事などをAIで作成することができる。

とくにジャスパーでは、コンテンツを作るためのテンプレートが50種類以上も用意されている点が特徴だ。ブログ記事やフェイスブック用の広告文章、製品のレビューなど、目的・用途に合わせて選択が可能で、マーケティング用途に特化したサービスといえる。ウェブメディアの運営会社やマーケティング担当者、コピーライターやブロガーなどに役立つ機能が盛り込まれている。

たとえば、企業名・製品名、製品の説明、文章のトーン（カジュアル、プロフェッショナルなどから選択）を入力すれば、それだけで製品レビューを作ってくれるのだ。文法チェックサービス「グラマリー（Grammarly）」も実装されており、スペルの間違いや不自然な言い回しも自動で修正してくれる。日本語を含む29言語に対応しており、月額料金29ドルから、複数のプランが用意されている。

同じく広告やコピーライティングに利用できるサービスが「キャッチー（Catchy）」だ。GPT-3搭載のライティングアシストサービスで、ジャスパーと同じように、さまざまな用途やメディアに対応した生成ツールを利用することができる。文章をリライトしたり、短文を長文に膨らましたり、記事のタイトルや目次、導入文などを提案してくれたりもする。とりわけ、「記事アイデア」や「記事制作のQ&A」などは、自分のアイデアを適切なかたちで具現化してくれたり、さまざまなアイデア出しに活用したりすることができる。

洗練された文章が要求されるコピーライティングでも、クオリティの高い文章を生成してくれるのが特徴的だ。こうした機能は、個々人の才能やセンスがものをいうコピーライティングの分野に、一石を投じるものとなるに違いない。すべての生成ツールが無料でお試し使用ができるが、制限なく利用するには、月額９８００円の有料プランに入る必要がある。

また、ＧＰＴ－４を含む最新のＡＩモデルで、文章作成が行えるサービスが「リートン（Wrtn）」である。対人のような自然な会話ができる対話型インターフェースのチャット機能や、ＳＮＳやウェブ広告用のテキスト生成をすることができ、本書執筆時点では、無料かつ無制限にサービスの利用が可能だ。

■ＰＤＦの要約サービスで情報収集の効率化

文章生成ＡＩは、指定した文章を作成するだけでなく、資料やデータなどの分析や要約にも力を発揮する。たとえばＰＤＦ内の文章を要約してくれる生成ＡＩのサービスとして、「チャットＰＤＦ」や「ＨＵＭＡＴＡ」というサービスがある。

チャットＰＤＦは、ＧＰＴ－３・５の技術に基づくサービスだ。ＰＤＦファイルを入力すると、その要約に加えて、そのファイルを読んだ人が持つであろう疑問や質問を複数、出力してくれる。さらにこの質問をクリックすると、その解説を読むことができるという。また、翻訳機能も搭載されており、英語から日本語へ翻訳し要約することもできる。無料プランと月額5ドルの有料プランがある。

ＨＵＭＡＴＡは現在のところ、まだ日本語に対応していないが、英文のＰＤＦを要約したり、深掘りの質問をしてさらに解説してもらったりすることができる。回答の際には、根拠となる箇所の文章を示してくれるなど、情報の正確性が担保されているといえる。ＧＰＴの技術が用いられているかどうかは、公表されていないが、その可能性は高いようだ。

こうした文章の要約サービスの中で、学術論文に特化したサービスを提供しているのが、「スカイスペース（SciSpace）」である。論文形式のフォーマットにしか対応していないが、こちらの質問を汲み取って、要約・解説をしてくれる。効率的に文章を読み解いて、必要な情報が得られる。ＧＰＴ－３の技術が用いられているとされる。

■苦手なビジネスメールの敬語表現をAIで解決

また、日本語ならではの文章生成ＡＩのサービスといえば、「3秒敬語」が挙げられるだろう。日本のビジネスシーンでは適切な敬語を使うことがしばしば求められる。とりわけ、日本語のビジネスメールはそれが顕著だ。敬語表現に迷うと、ネットで定型文を検索したり、用法を確認したりと、意外と時間がかかるものである。そんなときにこの「3秒敬語」なら、日本語で概要を打ち込みさえすれば、敬語ベースの文章を自動で考えて作成してくれる。その名称のとおり、わずか3秒前後で文章が作成されるため、ビジネスメールのたたき台として手軽に使用できる。

おもなモードは二つある。「厳密な翻訳」モードは、自分が打ち込んだ概要に基づいて文章を生成する。「肉付け翻訳」モードでは、もっと丁重な文面を生成することができ、いずれも生成された文章に不満がある場合には、表現や構成を何度でも変更して作り直してくれる。利用料金は無料だ。

■まだまだある仕事に応用できる生成AIサービス

会議の音源を起こして議事録を作ったり、取材音源の起こしをしたりするのに使える文字生成AIサービスが「文字起こしさん」である。音声や動画、画像ファイルの文字起こしを自動でしてくれるが、医療や介護、ITなどの専門用語を含む音声・動画でも正確に起こしてくれるのが特徴だ。JPEGやPDFなどの画像ファイル内の文章も、瞬時に文字起こしをしてくれるため、わざわざ画像から手入力で文字を起こすというような手間を省くことができる。無料版は毎日10分の音声と、10枚の画像の文字起こしをすることができる。有料版は機能に応じて、月額１１００～３３００円のプランに分かれている。

　また、エクセル形式のデータやほかのデータベースなどの分析を行い、傾向の指摘や分類などしてくれるサービスに、「ユーズチャンネル（Usechannel）」がある。分析に基づいて、自動でグラフを生成することもできる。月々の収益のグラフ化、売上上位商品のグラフ化など、マーケティングや営業分析などさまざまな用途で活用できる。

　文章生成ＡＩは言語に特化しているため、外国語の学習にも使うことができる。英語学習アプリの「スピーク（Speak）」では、音声認識を搭載したＡＩと英会話をすることができる。自分が話した音声は、文字として表示され、それに対してＡＩが音声と文字で答えてくれるというもの。文章生成ＡＩが活用されているため、非常に自然な会話が返ってくる。利用者の英語を採点し、より適切な言い回しを教えてくれる。このアプリには、音声を認識し文字にする技術、反対に文字から音声にする技術、自然な会話を行ったり、文章を添削し適切な言い回しを提案してくれたりする文章生成ＡＩの技術が盛り込まれており、非常に実用的だ。

■チャットGPT連携AIキャラクター「逢妻ヒカリ」の登場

本章の最後に、チャットGPTを組み込んだAIキャラクターの開発について触れたい。

3DCGやアプリケーション開発、音声認識などの技術を提供するゲートボックス（Gatebox）は、自社のリアプロジェクション投影技術を搭載して、キャラクターをホログラムのように「召喚」するキャラクター召喚装置「ゲートボックス」の開発を進めている。カメラやマイクなどのセンサーを通して、召喚したキャラクターと音声でコミュニケーションを取ることができる。「癒しの花嫁」をコンセプトに女性キャラクター「逢妻（あづま）ヒカリ」が作られているが、同キャラクターにチャットGPTを組み込むことが発表された。

チャットGPTをAIキャラクター開発に応用することで、キャラクターとの会話をより自然なものに向上させ、リアルタイム会話生成を可能にすることが目指されている。2023年3月には、開発を加速するため、クラウドファンディングを呼びかけ、5000万円を超える額が集まった。企業向けの接客用AIキャラクターの活用なども視野に入れ、アニメやゲームの版権キャラクター、企業の公式キャラクターのAI化にも取り組む方針だという。

第5章

チャットGPTを使ってみよう

パソコンでチャットGPT利用の準備をする

チャットGPTを利用するには、オープンAIのサイトでアカウントを登録する必要がある。オープンAIは海外のサイトなので、表示されるページはおもに英語で書かれている。そのため、英語に慣れていない人は少々難しく感じてしまうかもしれない。しかし心配は無用だ。画面の指示にしたがって必要な項目を入力していくだけなので、問題なく進められるだろう。

なお、アカウント登録の途中でメールアドレスとSMS（ショートメッセージ）を受信できる電話番号を入力する箇所が出てくる。どちらもないとアカウントを登録できないので、登録作業を始める前にあらかじめ用意しておこう。ここでは、パソコンを使った手順について解説する。解説に使っている画面は、ウィンドウズ11とグーグル・クロームをもとにしているが、ほかのブラウザーでも操作手順はまったく同じだ。

1 オープンAI（https://openai.com/blog/chatgpt）のサイトにアクセスし、「Try ChatGPT」をクリックする

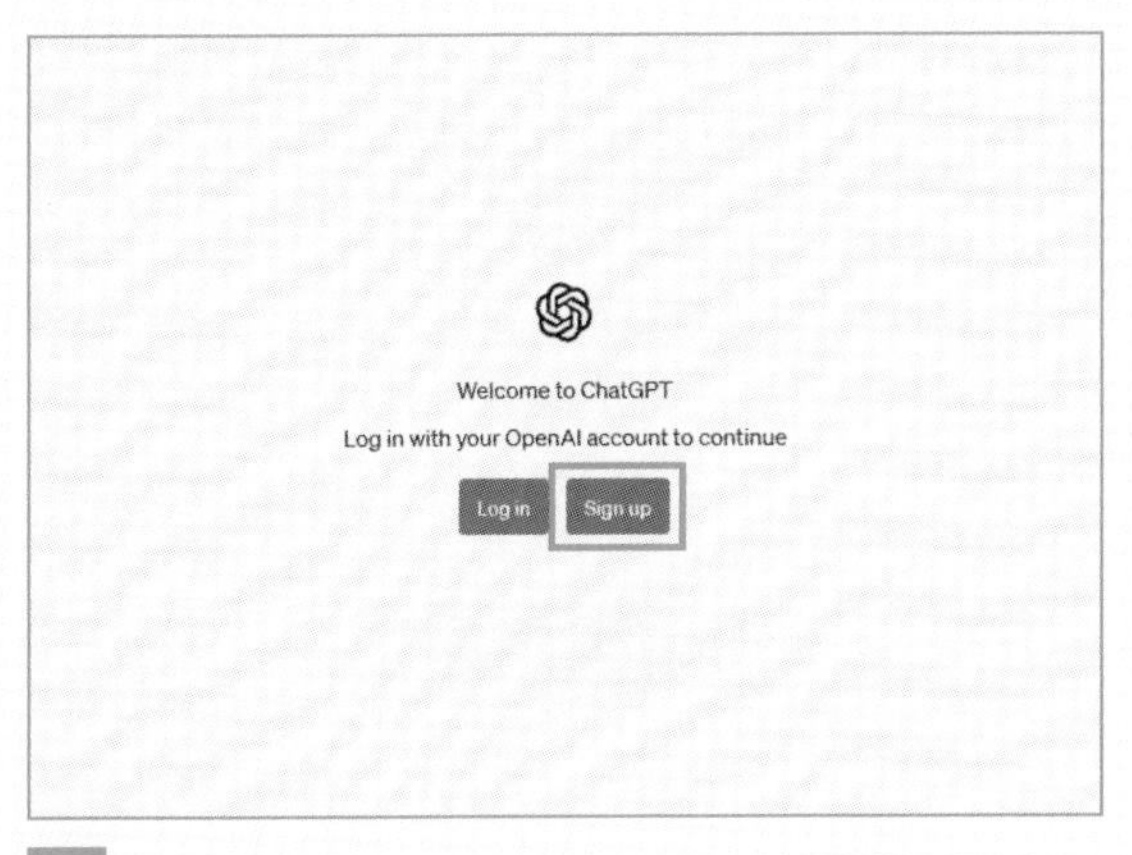

2 チャットGPTのログイン画面が表示されるので、「Sign up」をクリックする

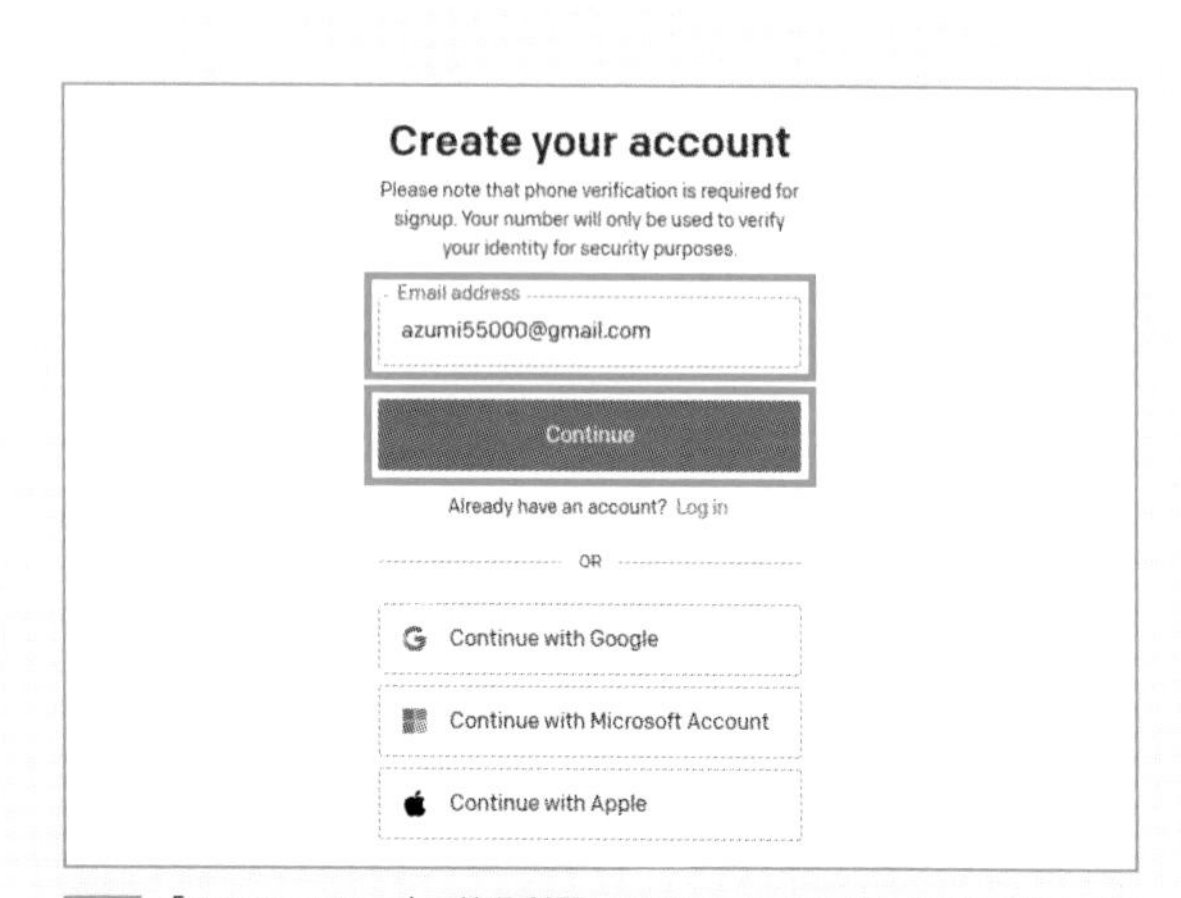

3 「Email address」に普段利用しているメールアドレスを入力して「Continue」をクリックする。ログインにグーグルアカウントやマイクロソフトアカウントを利用したい場合は、下のボタンをクリックし、画面の指示にしたがって認証する

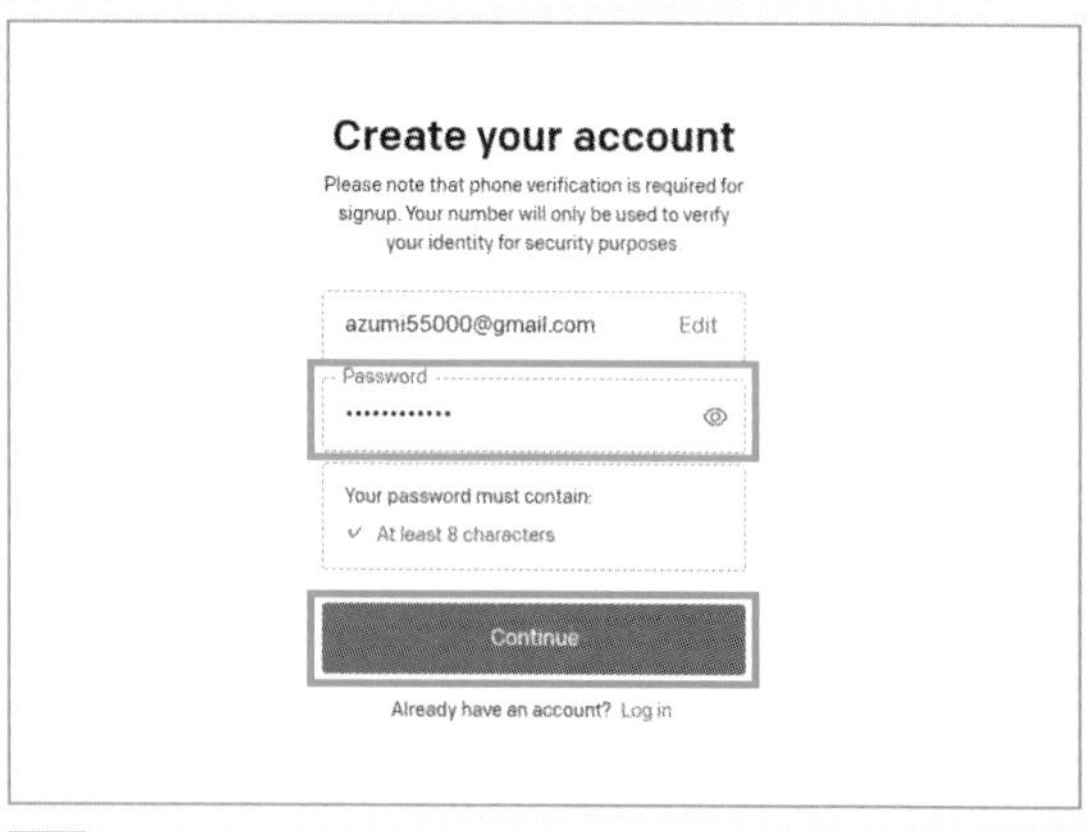

4 チャットGPTへログインするときに使うパスワードを決めて「Password」に入力し、「Continue」をクリックする

5 入力したメールアドレス宛にメールが届く。そのメールを開き、メール文中にある「Verify email address」をクリックする

Tell us about you

Azumi　Tanaka

01/01/1999

Continue

By clicking "Continue", you agree to our Terms and acknowledge our Privacy policy

6 名前と生年月日を入力する画面が表示されるので、正確な情報を入力して「Continue」をクリックする

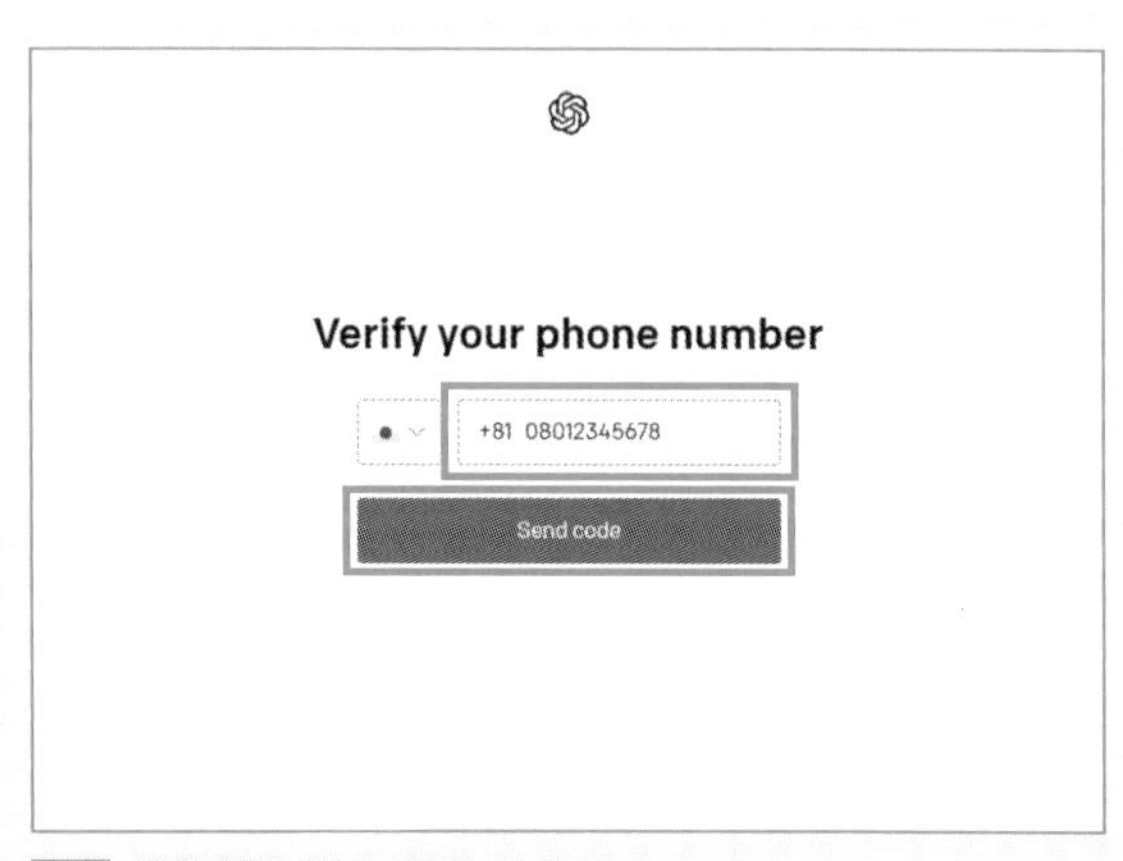

7 電話番号を入力する画面が表示されるので、ショートメッセージ（SMS）が受け取れる電話番号を入力して「Send code」をクリックする

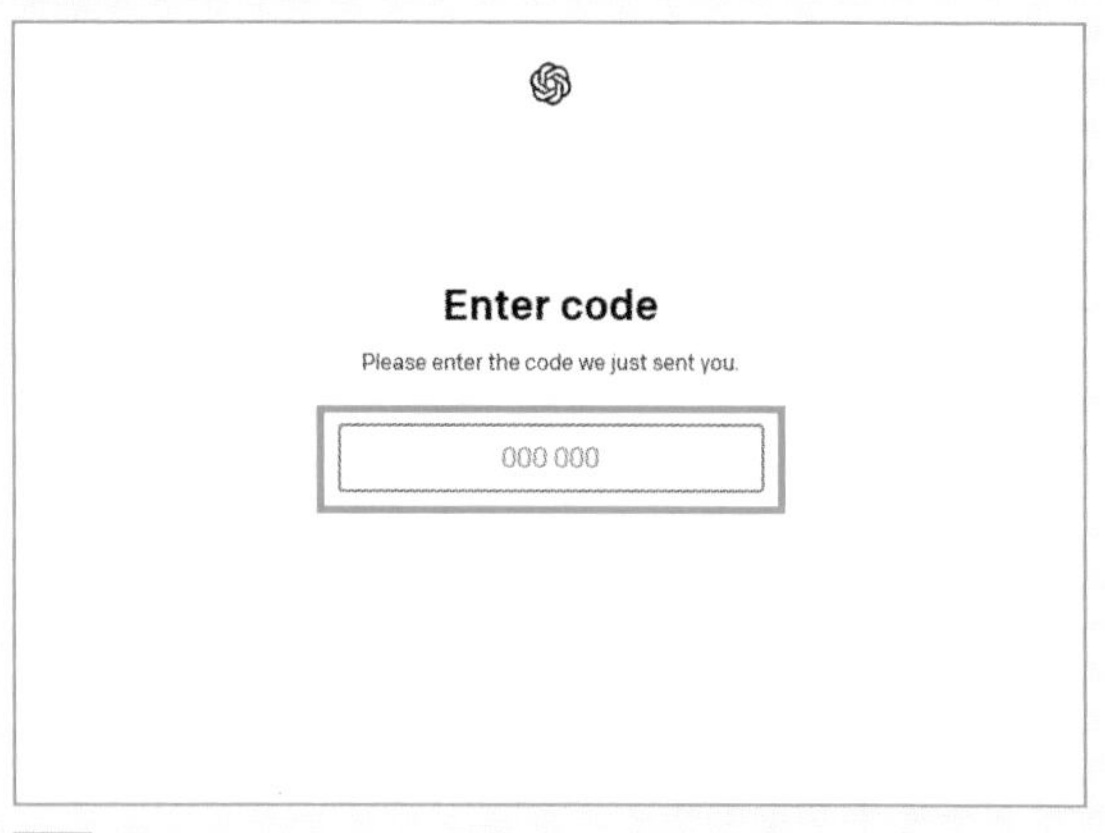

8 届いたショートメッセージに記載されている6桁の認証コードを「Enter code」に入力する

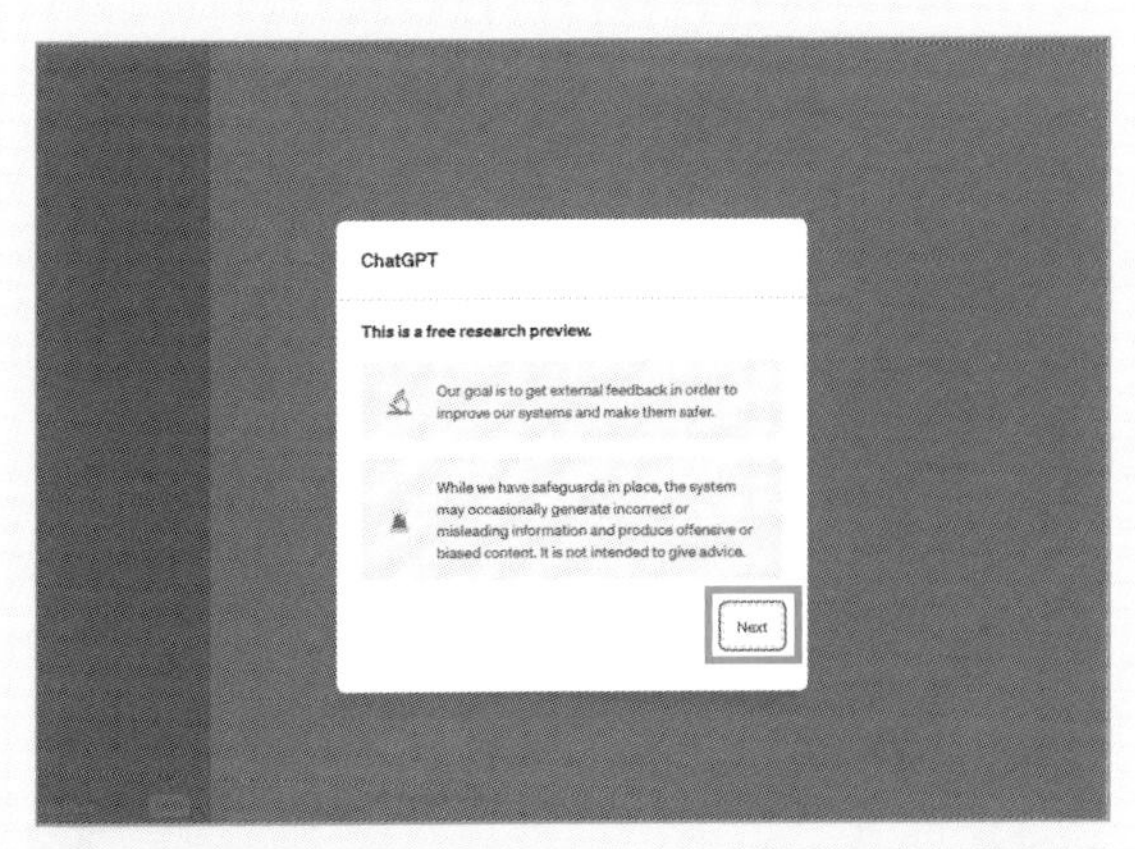

9 注意事項などが英語で表示される。「Next」を何度かクリックして注意事項を閉じる

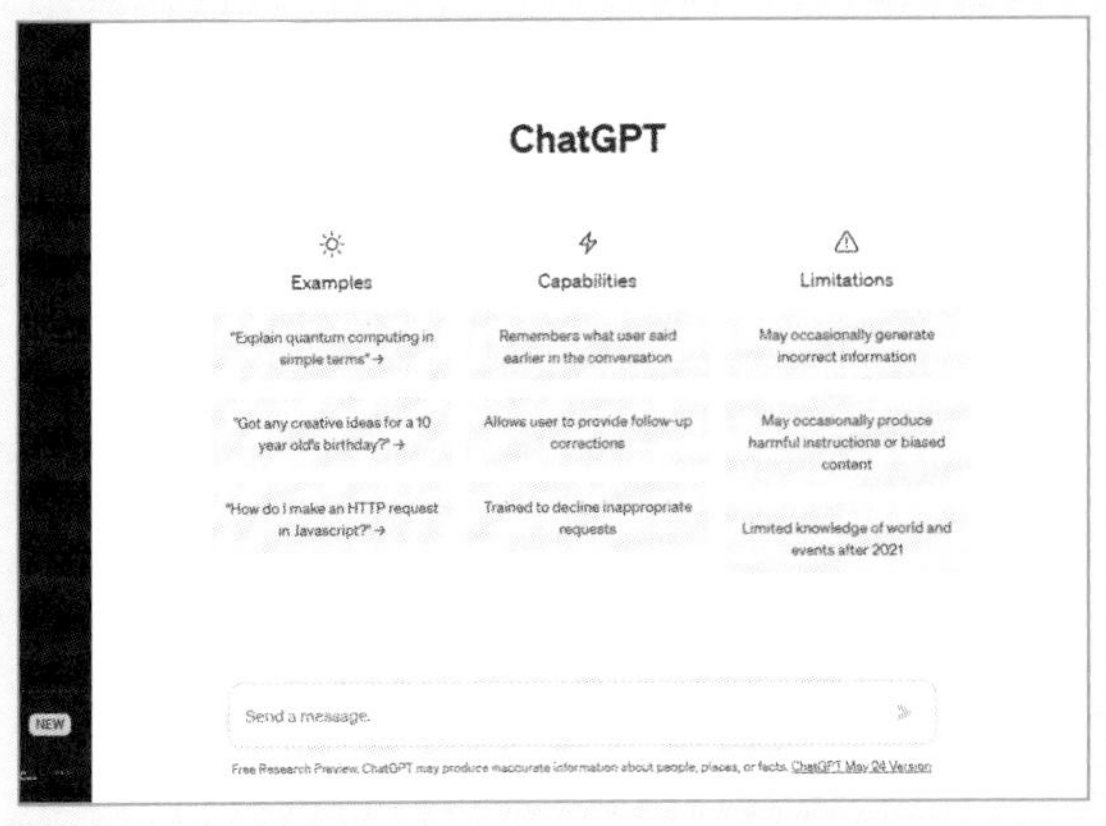

10 チャットGPTの画面が表示された。なお、ログアウトしてしまったときは、手順2の画面で「Log in」をクリックしてログインする

パソコンでチャットGPTを使ってみよう

チャットGPTは、ユーザーが質問した内容に対し、対話形式でAI（人工知能）が回答してくれるものだ。基本的には質問した内容について文章で回答するのだが、それだけにはとどまらない。翻訳を指示すれば指定した言語での翻訳も可能だし、エクセルでやりたいことを説明すれば、数式やスクリプトを書いてくれる。このように、質問の内容を判断して適切な答えを返すのがチャットGPTの特徴だ。

チャットGPTでは、質問のことを「プロンプト」と呼ぶ。この内容が詳細であるほど、より精度の高い回答が得られるようになる。まずは、このプロンプトの基本をしっかりマスターすることが、チャットGPT活用の第一歩となる。ちなみにチャットGPTが最も学習しているデータの言語は英語なので、日本語よりも英語で質問したほうが精度の高い回答が得られやすいことは覚えておくといいだろう。

なお、質問に使う端末は基本的に何を使っても構わない。ウィンドウズやマック、クロームブックなど、普段使っている端末のブラウザーを使ってアクセスすればよい。

1

チャットGPT（https://chat.openai.com/）を開き、画面下部にあるボックスに質問を入力する。入力できたら、飛行機アイコンをクリックする

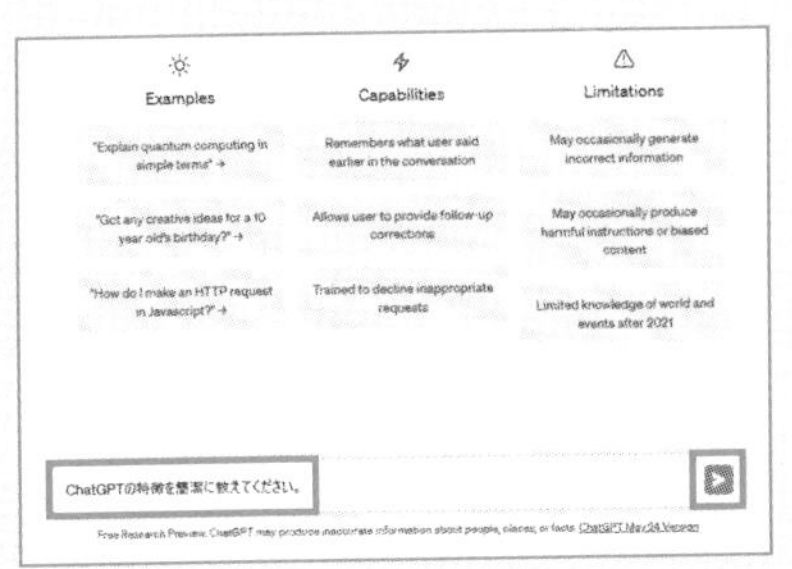

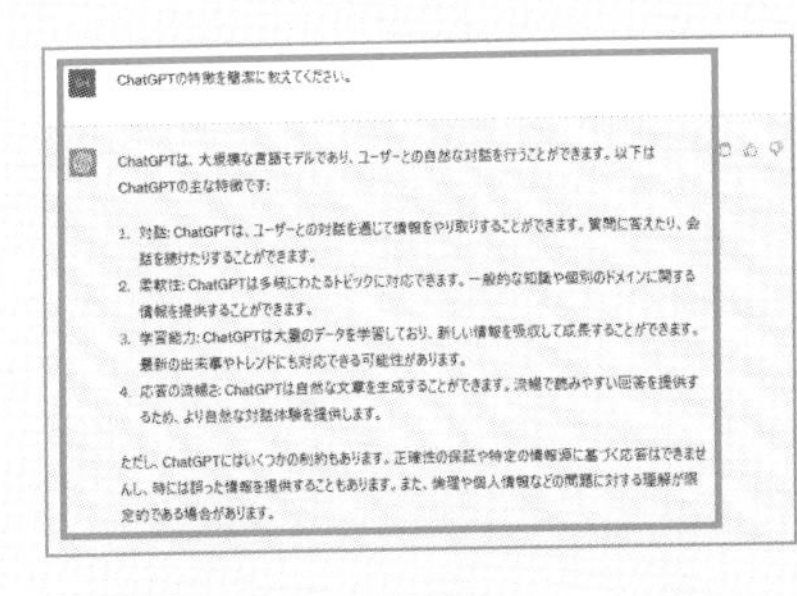

2

質問の下にチャットGPTからの回答が表示される。さらに質問をする場合は、同様の手順で下部のボックスにプロンプトを入力してから、飛行機アイコンをクリックする

回答が途中で止まった場合は

チャットGPTでは、回答が長くなると回答が途中で止まってしまうことがある。このときは、止まってしまった時点で表示される「Continue generating」というボタンをクリックしよう。止まった箇所から続きの回答が表示される。

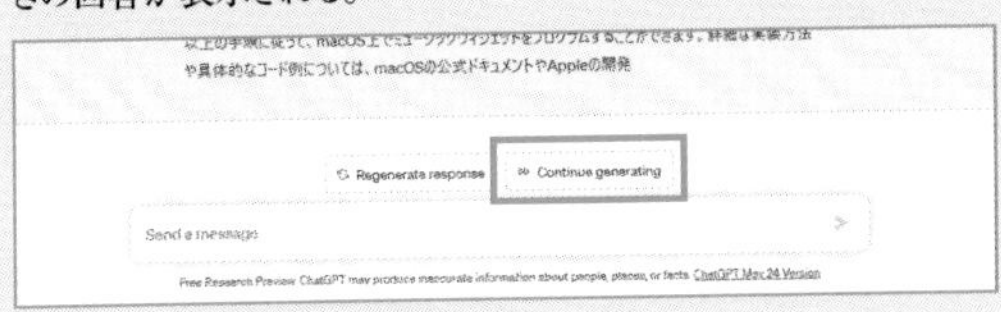

回答が途中で止まると「Continue generating」というボタンが表示される。これをクリックすると回答が再開される

■質問を編集して再質問する

チャットGPTのプロンプトは非常に重要だが、一度の質問で求めている回答が得られるとは限らない。むしろ、質問を重ねて掘り下げていくことにより、精度の高い回答が得られる傾向にある。そのため、チャットGPTの回答に対し、幾度となく質問を入力することになるのが普通だ。その際、質問自体を間違えたり、あまり適切ではない質問をしてしまうと、話の流れが混乱して求めている回答に辿り着きにくくなることがある。このようなときは、そのまま質問を続けるのではなく、質問を編集して再質問したほうがいいだろう。

元の質問を編集してチャットGPTに再質問をするには、表示されている質問の右側にある編集アイコンをクリックする。これで質問を編集できるようになるので、新しい質問を再入力して回答を求めればよい。なお、質問を編集しても前の質問は履歴として保存されており、いつでも切り替えられる。過去の質問とその回答を参照したい場合や、同じ質問で別の質問をしたい場合に使うと便利だ。

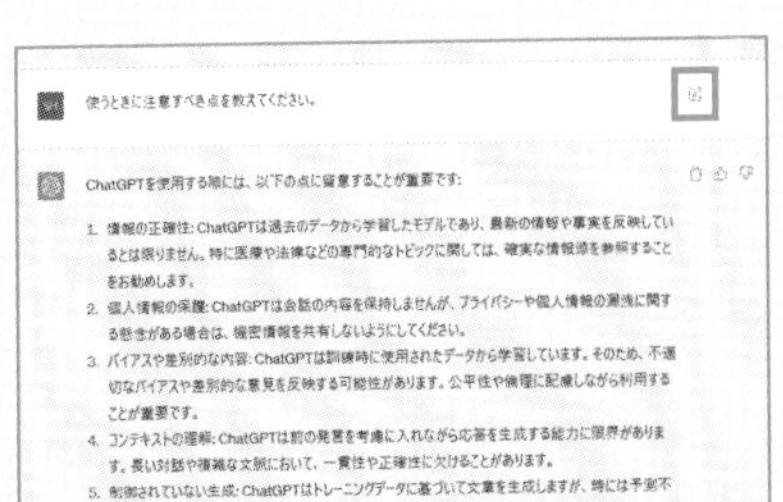

1

すでに回答済みの質問にマウスを合わせると、右側に編集アイコンが表示されるのでクリックする

2

質問を編集できるようになるので、新しい質問を入力して「Save & Submit」をクリックする。新しい回答が表示される

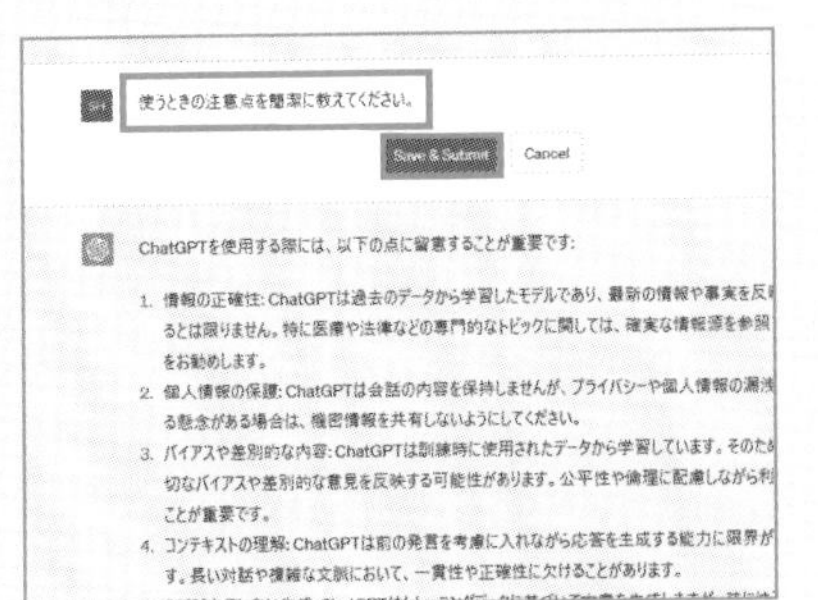

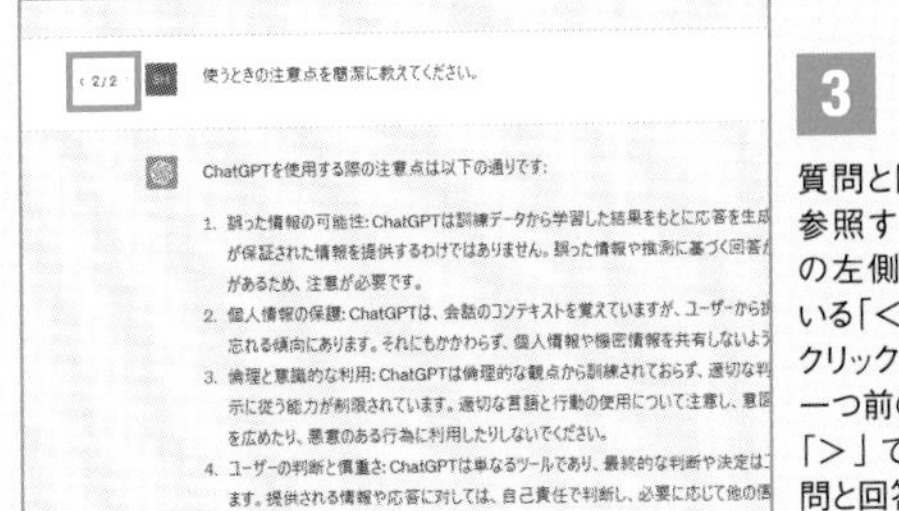

3

質問と回答の履歴を参照するには、質問の左側に表示されている「<」または「>」をクリックする。「<」で一つ前の質問と回答、「>」で一つ後の質問と回答へ切り替えられる

■知っておくと便利な使い方

チャットGPTをもっと便利に使うためには、「回答の再生成」「回答の中止」「コピー」の使い方も知っておこう。チャットGPTは同じプロンプトであっても、毎回異なる回答を生成する。そのため、最初に得られた回答に満足がいかない場合に回答を再生成すれば、質問を入力し直す手間が不要になる。

チャットGPTは、質問によっては回答が異様に長くなったり、的外れなことを延々と回答したりすることがある。また、一時的な不具合で同じ内容の回答を繰り返し生成してしまうこともある。このようなときは、ストップボタンをクリックすると回答の生成を中断することができる。

チャットGPTからの回答をコピーしてほかのドキュメントに貼り付ける場面は多い。その際、回答を選択してコピーするのは面倒な作業だ。また、長い文章をコピーする場合、一部を見落とす可能性もある。回答の横にはコピーアイコンが用意されており、これをクリックすれば回答を丸ごとコピーできる。

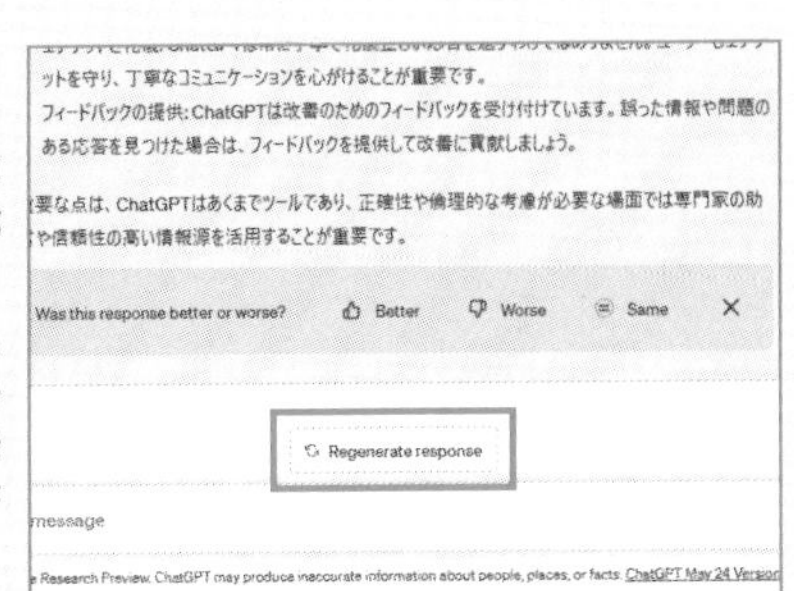

1

同じ質問で回答を再生成するには、「Regenerate response」をクリックする。なお、以前の回答に切り替えて表示したいときは、回答の左側に表示されている「<」または「>」をクリックする

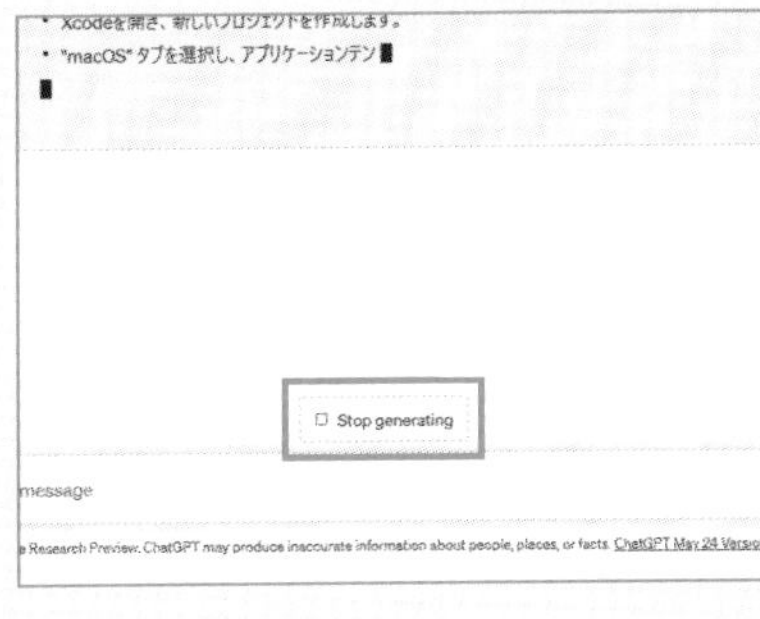

2

回答を途中で停止したい場合は、回答の生成中に表示されている「Stop generating」をクリックする。

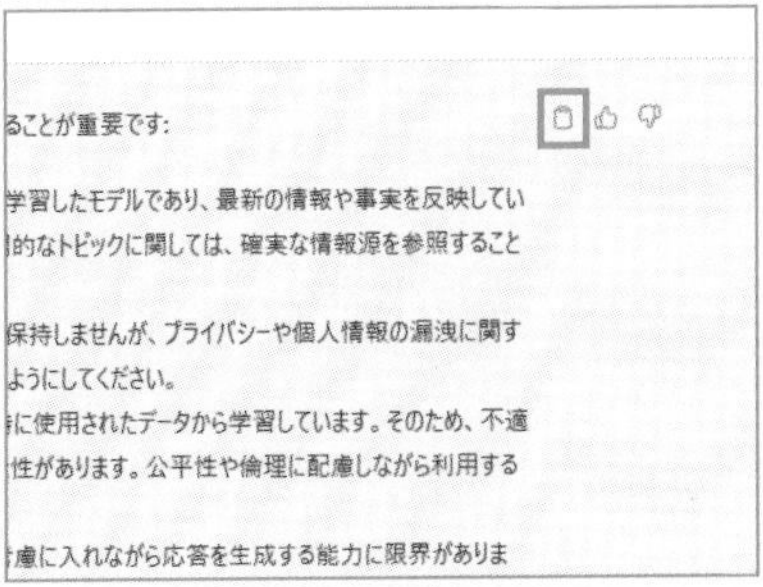

3

回答をコピーしたい場合は、回答の右側にあるコピーアイコンをクリックする

■新しいチャットを作成する

チャットを続けていくと、チャットGPTは質問の内容を学習していくので、質問のたびに繰り返し前提条件などを入力する必要がなくなる。ただし、これまでの話題とは別の話を同じチャットで続けてしまうと、要領を得ない回答を返してしまうことがある。そのため、別の話題で質問をするときは、新しいチャットを作成してから質問するようにしよう。なお、新しいチャットを作っても、以前のチャットは履歴に残っているので、いつでも再開が可能だ。

ちなみに、同じチャットで質問の内容を学習するといったが、いつまでも情報を覚えているわけではなく、質問を繰り返していると徐々に忘れていってしまう。そのため、同じチャットであっても前提条件を忘れているような回答が返ってきたら、改めて前提条件を含めて質問する必要があるので注意したい。なお、覚えておける情報は、無料で使えるGPT－3・5と有料版で使えるGPT－4では大きく異なる。GPT－4のほうが覚えられる情報量が圧倒的に多いので、快適に使いたいなら有料版を検討したほうがいいだろう。

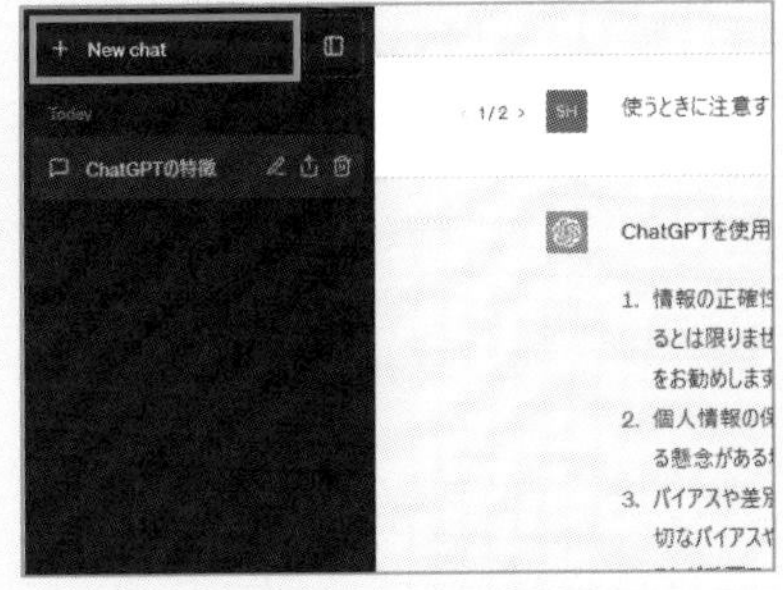

1

新しいチャットを作成するには、画面の左側にあるサイドバー上部の「New chat」をクリックする

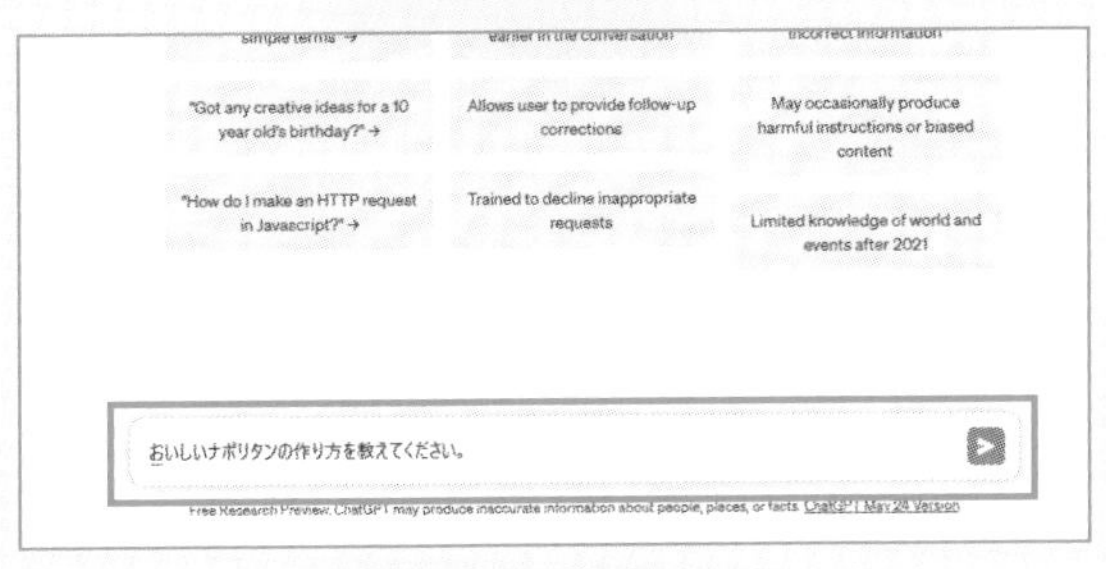

2 新しいチャット画面が開くので、あとは同じようにプロンプトを入力してチャットを始めればよい

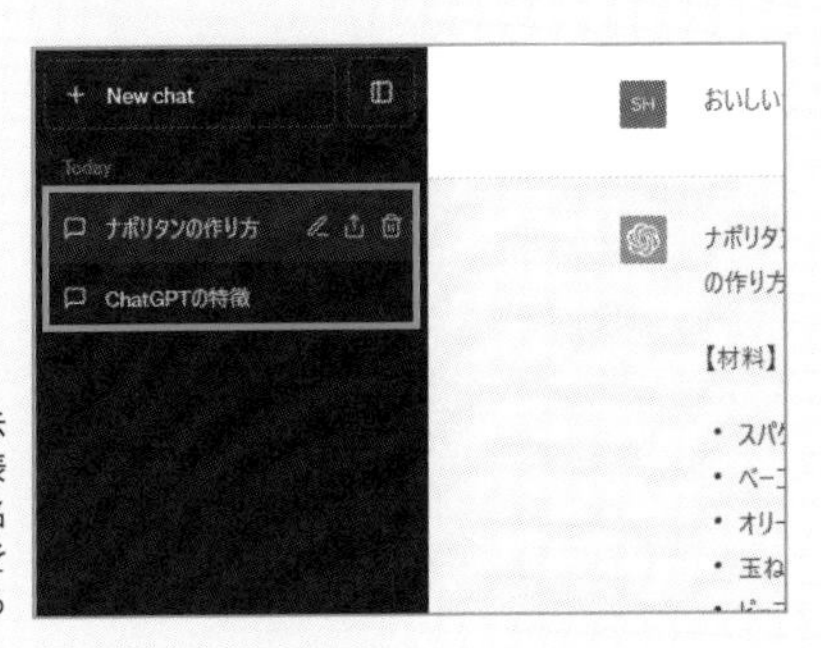

3

サイドバーには、過去のチャットの履歴が表示されている。履歴名をクリックすれば、そのチャットを再開できる

■チャット履歴を管理する

画面左側に表示されているサイドバーにはチャットの履歴が表示されており、いつでも過去のチャットへ切り替えることができる。ただし、表示されるチャット名は自動的につけられるので、パッと見てわかりにくいものも少なくない。そのため、チャット名は自分でわかりやすい名前に変更しておくと探しやすくなるだろう。また、チャットＧＰＴを使っていると、履歴がどんどん増え続けていく。履歴の数が多すぎると再開したいチャットを探すのに苦労するので、不要な履歴は適宜削除しておくのがおすすめだ。

チャットの内容をほかのユーザーと共有したい場合は、共有リンク機能を使うと便利だ。これは、チャットの会話履歴をまとめて閲覧できるＵＲＬを生成する機能。生成したＵＲＬを相手にメールやメッセージなどで送信すれば、相手は会話の内容を閲覧することができる。ただし、共有したチャットに閲覧制限はかけられない。プロンプトと回答は相手もすべて見られるので、公開したくないものが含まれている場合は共有しないほうがいいだろう。

1

履歴名を修正するには、そのチャット履歴をクリックし、タイトルの右側に表示される鉛筆アイコンをクリックする。タイトルを編集できるようになるので修正し、チェックマークをクリックする

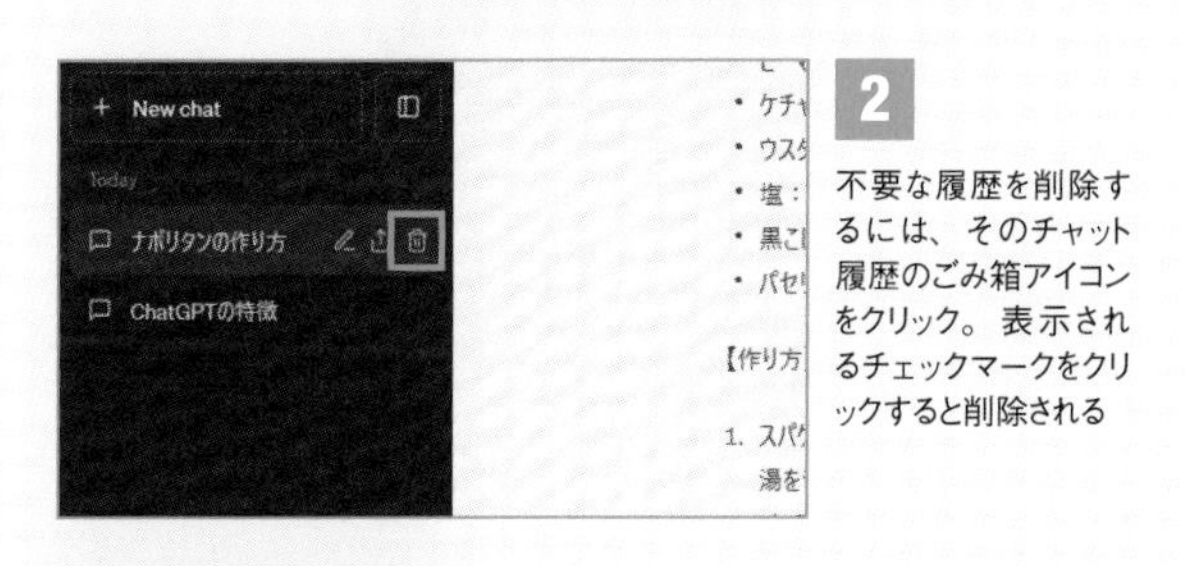

2

不要な履歴を削除するには、そのチャット履歴のごみ箱アイコンをクリック。表示されるチェックマークをクリックすると削除される

3

チャットを共有する場合は、そのチャット履歴の共有アイコンをクリックする。チャットがプレビューされるので、「Copy Link」をクリック。URLがコピーされるのでメールやメッセージで相手に送信する

スマホでチャットGPT利用の準備をする

チャットＧＰＴのアカウントを作成する手順は、パソコンもスマホも同様だ。そのため、スマホから作成する場合は、スマホのブラウザーを使ってオープンＡＩのサイトにアクセスし、アカウントを作成すればよい。なお、ｉＰｈｏｎｅ、アンドロイドスマホともに操作手順は変わらないので、普段使っているブラウザーでアカウントの作成を行えば問題ない。

ちなみにチャットＧＰＴのアカウントはスマホもパソコンも共通のものだ。すでにパソコンでアカウントを作っているのであれば、スマホで改めてアカウントを作成する必要はなく、パソコンで作ったアカウント（メールアドレスとパスワード）でログインすれば、スマホでもそのまま利用できる。ここでは、ｉＰｈｏｎｅの「サファリ」ブラウザーを使ったアカウント作成の手順を解説するが、ほかのブラウザーを使っても操作手順は同様だ。

1

オープンAI（https://openai.com/blog/chatgpt）にアクセスし、「Try ChatGPT」をタップする

Introducing ChatGPT

We've trained a model called ChatGPT which interacts in a conversational way. The dialogue format makes it possible for ChatGPT to answer followup questions, admit its mistakes, challenge incorrect premises, and reject inappropriate requests.

Try ChatGPT ↗　Read about ChatGPT Plus

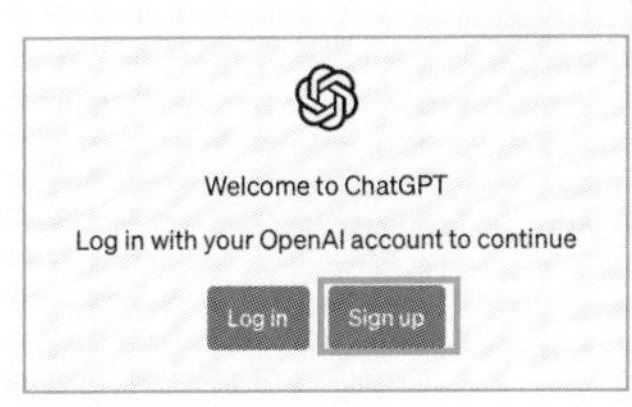

2

チャットGPTのログイン画面が表示されるので、「Sign up」をタップする

3

「Email address」に普段利用しているメールアドレスを入力して「Continue」をタップする。ログインにグーグルアカウントやマイクロソフトアカウントを利用したい場合は、下のボタンをタップし、画面の指示にしたがって認証する

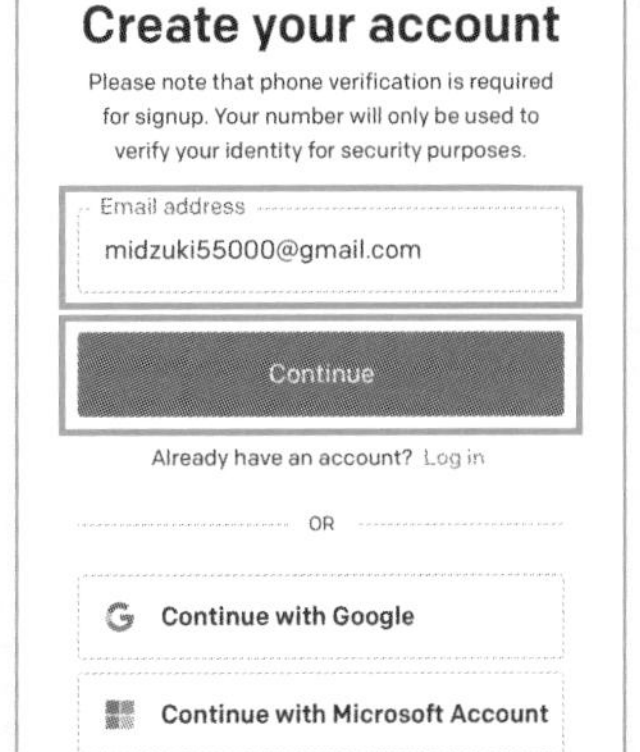

4

チャットGPTにログインするときに使うパスワードを決めて「Password」に入力し、「Continue」をタップする

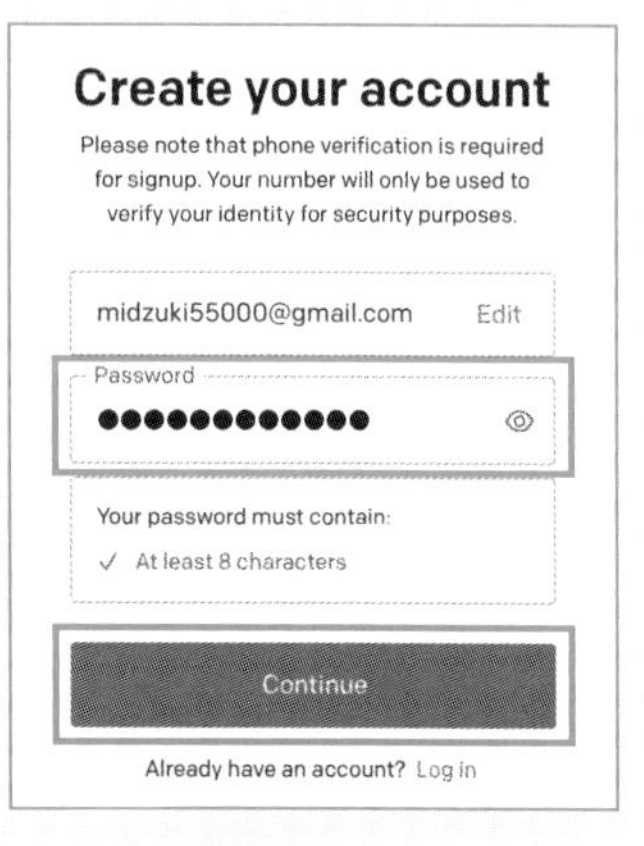

Verify your email address

To continue setting up your OpenAI account, please verify that this is your email address.

Verify email address

This link will expire in 5 days. If you did not make this request, please disregard this email. For help, contact us through our Help center.

5

入力したメールアドレス宛にメールが届く。そのメールを開き、メール文中にある「Verify email address」をタップする

6

名前と生年月日を入力する画面が表示されるので、正確な情報を入力して「Continue」をタップする

7

電話番号を入力する画面が表示されるので、現在使っているスマホの電話番号を入力して「Send code」をタップする

Verify your phone number

+81 08012345678

Send code

Enter code

Please enter the code we just sent you.

000 000

8

オープンAIから届いたショートメッセージを開き、記載されている6桁の認証コードを入力する。このあと、注意事項などが英語で表示されるので、「Next」を何度かタップして注意事項を閉じる

9

チャットGPTの画面が表示された。なお、ログアウトしてしまったときは、手順2の画面で「Log in」をタップしてログインする

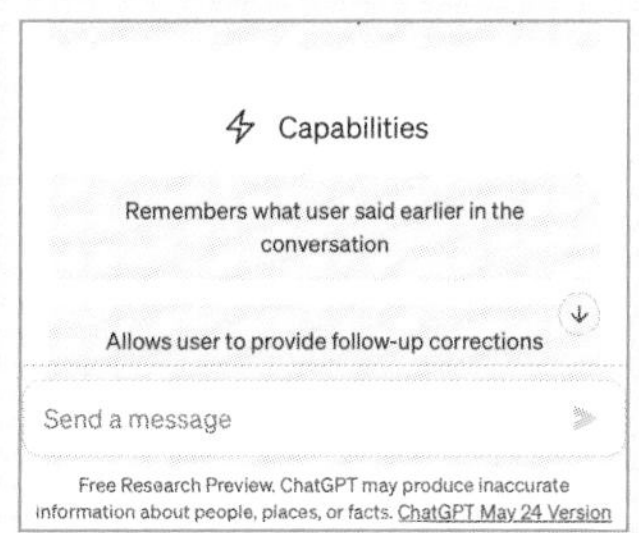

スマホでチャットGPTを使ってみよう

　チャットGPTを使うにはネットが必要になるため、パソコンからの場合はどうしても使用できる場所が限られてしまう。しかし、スマホなら使用する場所を問わないので、いつでも、どこにいてもチャットGPTを利用できる。もちろん、有償プランのチャットGPTプラスに加入している人なら、GPT－4の利用も可能だ。通勤や通学の途中など、自分のパソコンが使えない環境などであっても手軽にAIの力を借りられるので、スマホでも利用できるようにしておきたい。

　これまで、スマホでチャットGPTを使うには、パソコンと同様にブラウザーを使うしかなかったが、2023年5月にiPhone向けの「チャットGPT」アプリがリリースされた。アプリ版の場合、ブラウザーでは利用できない音声入力などの独自機能も使えるので、iPhoneを使っている人はアプリを導入したほうがいいだろう。ここではアプリ版での利用方法について解説していく。アンドロイドはアプリを利用できないので、ブラウザーを利用しよう（173ページ参照）。

1

「ChatGPT」アプリを開き、「Log in」をタップする。なお、登録がまだ済んでいない場合は、上のボタンで登録方法を選択し、画面の指示にしたがって登録する

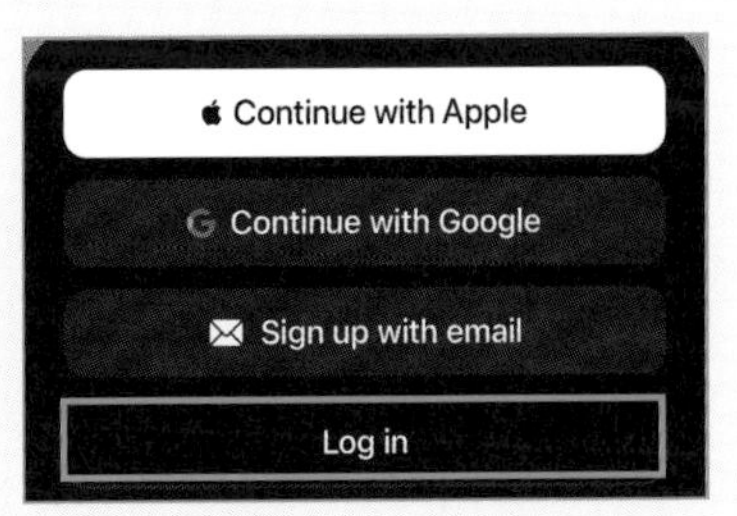

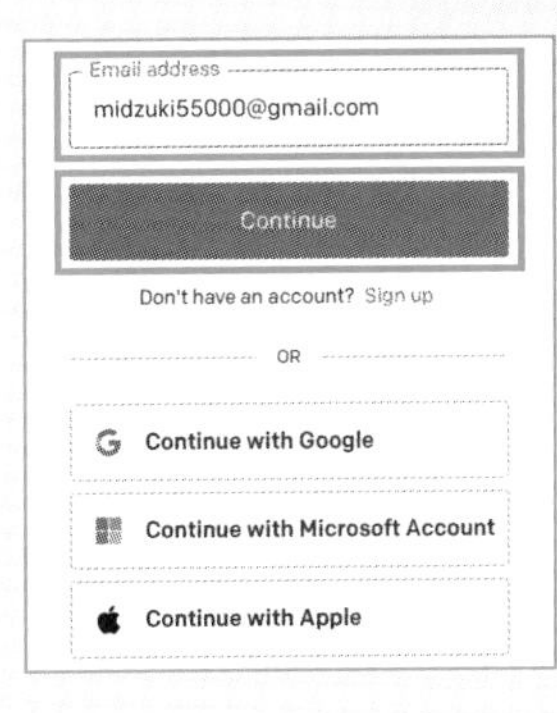

2

「Email address」に登録したメールアドレスを入力し、「Continue」をタップする。グーグルアカウントやマイクロソフトアカウントで登録した場合は、画面下部のボタンをタップし、画面の指示にしたがって認証する

3

「Password」に登録したパスワードを入力し、「Continue」をタップする。次に表示された画面で「Continue」をタップすると、チャットGPTが使えるようになる

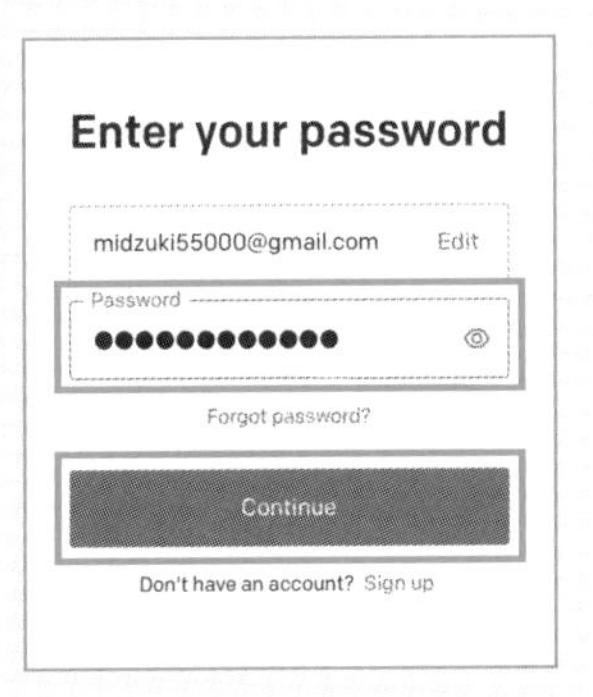

■アプリでチャットを開始する

アプリ版のチャットGPTの使い方も、パソコンのブラウザーと大きく変わらない。画面下部にプロンプトを入力するテキストボックスが用意されているので、ここに聞きたい質問を入力すると、チャットGPTからの回答が返ってくる。このように基本的な使い方はほとんど変わらないので、それほど悩むことはないだろう。有料版を契約していればGPT－4を選択可能。ただし、プラグインはスマホでは使えない。

1 質問を入力するには、画面下部にあるテキストボックスをタップ。文字が入力できるようになるので、質問を入力して「↑」をタップする

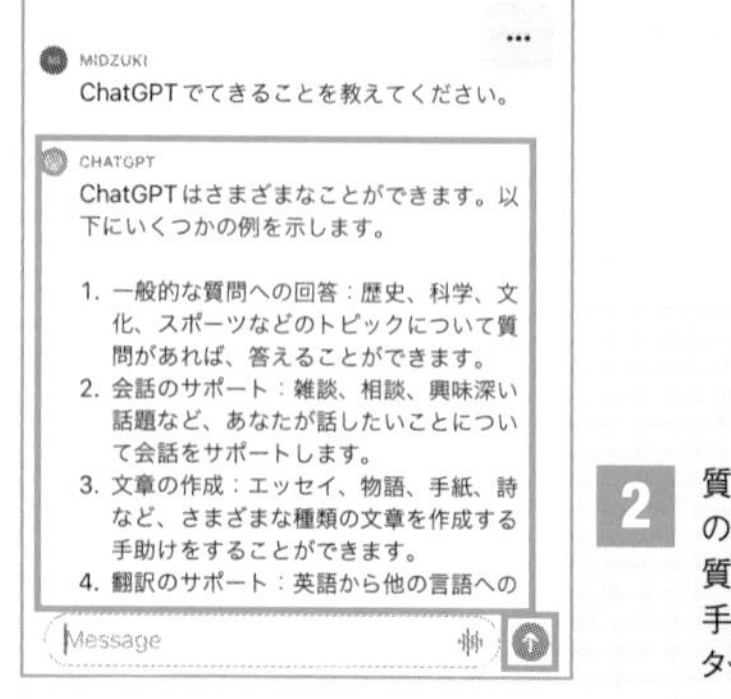

2 質問の下にチャットGPTからの回答が表示される。さらに質問をする場合は、同様の手順で質問を入力して「↑」をタップすればよい

■ 音声入力で質問する

アプリ版ならではの機能として用意されているのが「音声入力」だ。この機能を呼び出し、スマホに向かって話しかければそのまま質問を入力できる。手が塞がっていてキーボードで入力できない場面や、キーボードの操作に慣れていない人が使うのにおすすめの機能だ。なお、音声入力は文字起こしAIの「ウィスパー」を使って認識しているので非常に精度が高く優秀。囁（ささや）くような音量で話しかけても正しく認識されるので、あまり大きな声を出せない場所でも活用できるだろう。

1 音声入力を始めるには、入力欄の右側にある波形のアイコンをタップする

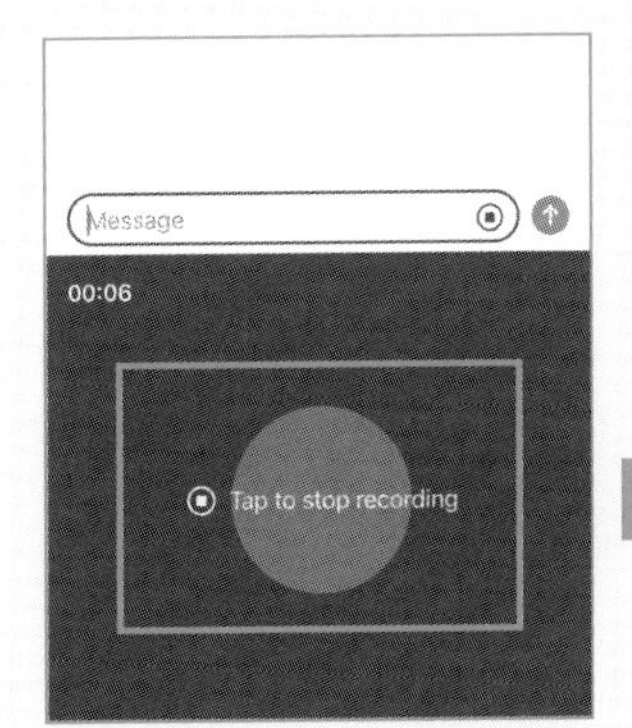

2 キーボードの表示が変わったら、スマホに向かって質問を話しかける。「Tap to stop recording」をタップすると録音が終了し、話しかけた内容が入力される

カメラでテキストを読み取る

音声入力だけではなく、カメラを使ってテキストを読み取ることができるのもアプリ版ならではの機能だ。紙で配られた資料やレポートなどの文章を読み取って要約したり、タイムカードを読み取ってエクセルで利用できる形式に変換したりといった活用方法がある。カメラでテキストを読み込ませるには、はじめにプロンプトで「Ｓｃａｎ ｔｅｘｔで送る文章を○○してください」と指示を出しておく。すると、チャットＧＰＴはテキストの入力待ちとなるので、あとはカメラを起動して読み取ればよい。

1 プロンプトで「Scan textで送る文章を○○してください」と指示を出し、チャットGPTから回答が戻ってきたら、プロンプト入力欄をロングタッチしてScan textアイコンをタップする

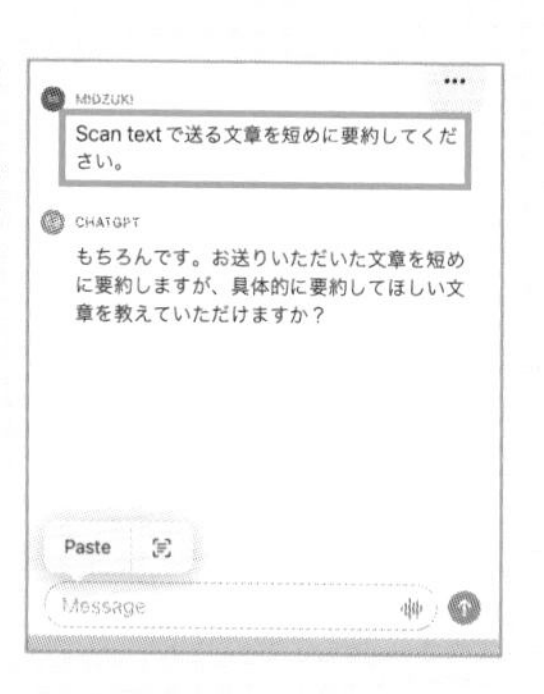

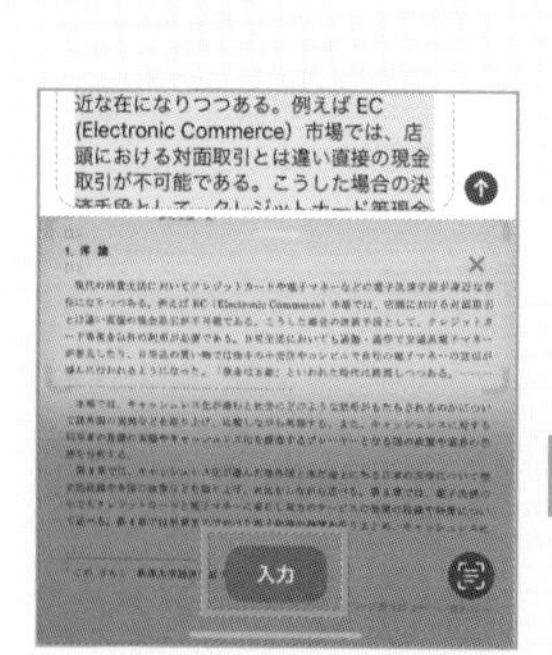

2 カメラが起動するので、読み取るテキストにカメラを向ける。明るくなった部分のテキストが読み取られる。「入力」をタップするとカメラが終了する

■新しいチャットの開始や履歴の管理

パソコンのブラウザーでは画面左側にあるサイドバーから新しいチャットの作成や、チャット履歴の管理といった操作ができた。しかし、アプリ版では画面サイズが狭いためにサイドバーに相当するものは表示されていない。これらの機能を使うには、画面右上にある「…」をタップして表示されるメニューを利用する。基本的にチャットGPTで利用できる機能のほとんどはこのメニューにまとめられているので、「何か別の機能を使う際にはメニューを開く」と覚えておけばわかりやすいだろう。

1 新しいチャットを作成するには、画面右上にある「…」をタップ。メニューが表示されるので、「New chat」をタップする

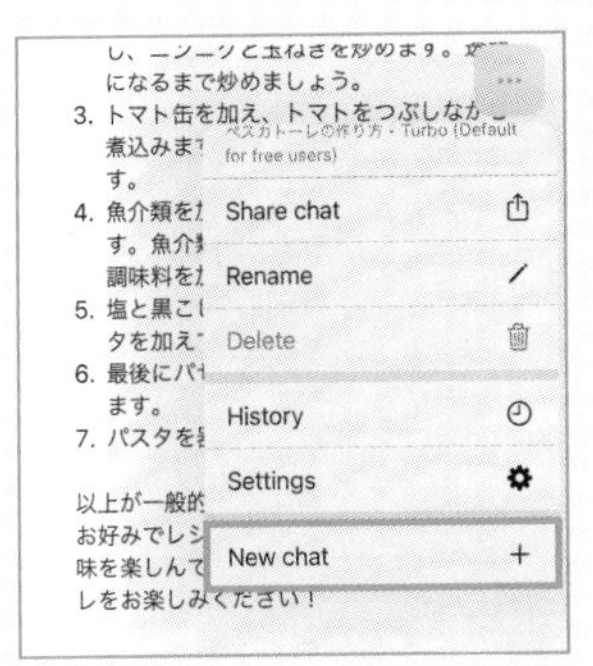

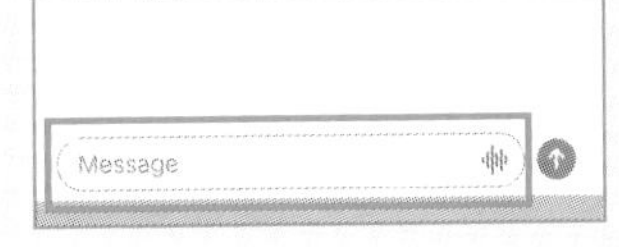

2 新しいチャット画面が表示される。あとは同様の操作で質問をすればよい

3

チャット履歴を確認するには、メニューを開いて「History」をタップする

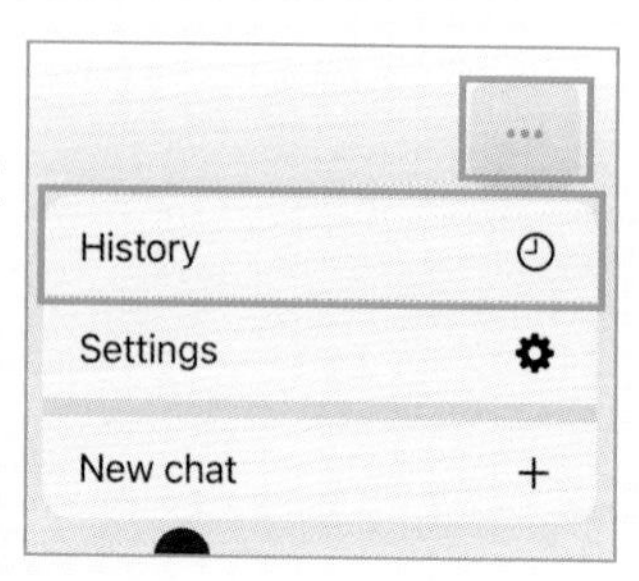

4

チャット履歴が表示される。名前をタップすれば、そのチャットを再開できる

5

チャットのタイトルを修正するには「Rename」、チャット履歴を削除するには「Delete」をタップする。チャットGPTの各種設定を変更するには、「Settings」をタップする

■ブラウザーでチャットGPTを使う

アンドロイドではアプリ版がリリースされていないため、クロームなどのブラウザーを使う必要がある。ブラウザーを使った場合、アプリ版にあった音声入力やカメラによるテキスト読み取りなどの機能は利用できないが、そのほかの基本的な機能については問題なく利用できる。なお、チャットの新規作成は画面上部に表示される「+」をタップすればよい。パソコン版のブラウザーで表示されていたサイドバーを表示するには、画面左上の「≡」をタップする。

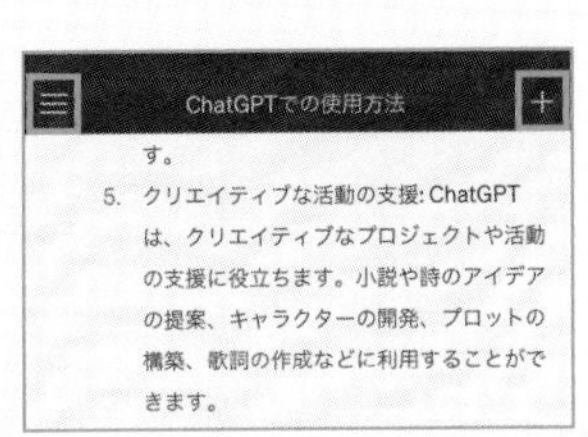

新しいチャットを作成する場合は、画面右上の「+」をタップする。画面左上の「≡」をタップすると、サイドバーが表示される

サイドバーにはチャット履歴が表示される。パソコンのブラウザーと同様に、チャットの名前の変更、共有、削除の各種操作が可能だ（172ページ参照）。ただし、各種アイコンは、一度そのチャットを選択しないと表示されないので注意しよう

チャットGPTの回答を改善するには

チャットGPTは今までにない優れた対話式のAIだが、質問に対して満足できる回答が返ってこないことがある。これの原因は「プロンプト」だ。つまり、満足のいく回答を引き出すには、質問の出し方を工夫することが大切となる。

まず意識したいのは「明確に指示を与える」ということ。質問の意図がはっきりしているほど、期待に沿った回答を得られやすい。たとえば「楽しいこと教えて」という質問は、何に対して「楽しい」ことなのかが曖昧だ。チャットGPTはこのような質問でも複数の回答を提示するが、浅く広く回答してしまうため期待する回答にならない可能性が高い。このようなときは、「子どもでも楽しめる東京の観光スポットを教えてください」といったように、対象や目的をハッキリと明記する。これにより具体的な回答が得られやすい。また、質問をする際に命令口調よりも敬語で質問をしたほうが、より長い回答が得られるという結果も報告されている。そのため、言葉には気をつけて質問するようにしたほうがいいだろう。

■質問を繰り返して回答の精度を上げる

とはいえ、質問したいことが漠然としていて何を書いたらいいかわからないこともあることもある。このようなときは、返ってきた回答に追加の質問を繰り返し、回答の精度を上げていくとよい。たとえば、「福岡で人気のある観光地はどこですか？」と質問したとする。チャットGPTは福岡全域の観光スポットを回答するので、その中のキーワードから追加の質問をしていけば、必然と回答の精度が上がっていく。その際、含んでほしい（含んでほしくない）情報やキーワードもあらかじめ伝えておくと効果的だ。たとえば、必ず入れてほしい情報があるときは、「○○については必ず書いてください」といった言葉を付け加えると、より的確な回答が得られる。

■必要に応じて逆質問する

チャットGPTからの回答を見て質問すべき情報が欠けていると思ったときは、チャットGPTに質問をしてもらうとよいだろう。たとえば「よりよい結果を出すのに、追加の情報が必要なら質問してください」とチャットGPTへ質問するように依頼する。そうすると、チャットGPTが回答に必要な情報を返してくるので、ユーザーはそれに対して丁寧に答えていけば、短時間で良い回答に辿り着ける。

■条件を指定する

チャットGPTの回答が曖昧になるのは、質問の意図を予想し、広範囲の情報からより一般的な内容で回答を返すためだ。そのため、回答範囲をあらかじめ指定しておけば、求めている回答に近づけられる。たとえば、文章のスタイルなら「ビジネス向け」「カジュアル」「丁寧語」など、答え方なら「箇条書き」「会話形式」など、文章の長さなら「詳細に」「簡潔に」のように、それぞれを指定する。

■実例を学習させる

チャットGPTに例を提示すると、その例を学習して次の質問では例に倣った回答を返すようになる。たとえば、「①概要②活用方法」という構成の文章を作りたいとする。この場合は、はじめにこの構成のサンプル文章をプロンプトで入力して学習させる。あとは「①概要」にあたる文章をプロンプトに入力すれば、サンプルに倣った形で「②活用方法」の文章を生成する。これを応用すると、特定の人の文献を入力して学習させ、「この人ならどう答えるか？」という条件で回答を得ることも可能になる。このように幅広く応用できる使い方なので、いろいろ試してみるのがおすすめだ。

■ 立場や役職を指定する

チャットGPTは、あらゆる立場の視点から回答を生成しようとするため、回答者の視点がばらけがちだ。立場や職業を明確に指定するのも効果的な方法だ。たとえば、職業を指定するなら「医者の視点からインフルエンザの予防について説明してください」といった感じで入力する。この場合、医者の視点に立った専門的見地の回答が返ってくるようになる。ただし、あくまでも学習データに基づく回答なので、指定した職業における実際の経験や専門知識を持つわけではないことを理解しておくことが重要だ。

■ 英語で質問して回答精度を上げる

チャットGPTは多くの言語に対応しているが、その学習データはおもに英語のテキストのため、一般的には英語での質問のほうがより詳細で精緻な回答を得られやすい。とはいえ、英語は苦手だという人も多いだろう。そういう人は、「次の質問を英訳して、英語で回答してください。また、その回答を日本語に訳してください」を枕詞にして質問をするとよい。質問を英訳し、回答を翻訳してくれるようになる。

無関係なサードパーティ製アプリに注意！

チャットGPTの開発元であるオープンAIは、2023年5月にiPhone向けの公式アプリをリリースした。しかし、アップストアでアプリを検索すると、オープンAIとは無関係な非公式アプリが数多くヒットする。これらのアプリには、試用期間が経過すると自動で有料のサブスクリプション契約に移行してしまうものがある。中には非常に高額なものもあるので、誤ってインストールしないようにしたい。アプリをダウンロードするときは、必ず開発者が「オープンAI」になっていることを確認しよう。

ChatGPT
作者：OpenAI
価格：無料（アプリ内課金あり）

公式の「ChatGPT」アプリを入手する際は、開発者が「OpenAI」になっていることを必ず確認してからダウンロードしよう

第6章

こんなことにも使える チャットGPT

チャットGPTはいろいろな用途に使える

チャットGPTは「GPT－3・5」と呼ばれる大規模言語モデルをベースに動作している。これは、大量の自然言語やプログラミングの用例を集め、ディープラーニング（深層学習）によって言葉同士のつながりを計算し、入力された言葉のあとにどの言葉が続く確率が高いかを導き出している。このようなしくみによって、チャットGPTはまるで人間が書く文章のようなクオリティを持つ回答ができるようになった。

チャットGPTが得意とするのは、おもに文章にまつわるもので、「指定した条件の文章を書く」「文章を修正する」「文章を要約する」「外国語を翻訳する」「プログラムのコードを書く」などがある。チャットGPTが世間に広まってからは、多くの人がさまざまな創意工夫によって新しい使い方を模索しており、これまでにないユニークな使い方が提案されている。ツイッターなどのSNSで情報が発信されることが多い。ハッシュタグ#ChatGPTなどで検索すると多数ヒットするので、気になる人はチェックすることをおすすめしたい。

「できない」ことを知ってうまく使いこなす

万能に見えるチャットGPTにも弱点は存在する。チャットGPTは入力された質問を内部のデータと突き合わせ、それに対して「最も適切と思われる単語」を並べて回答するしくみだ。そこにファクトチェックのプロセスは組み込まれていないため、「それっぽい回答だけど、実は間違っている」ということが起こりえる。また、チャットGPTが持っている情報は2021年までのもので、最近の情報をたずねても古い情報で答えが返ってきてしまう。そのため、検索エンジンのような使い方にも向いていない。さらに、チャットGPTは計算も苦手だ。これは、答えを返すために利用するのは大規模言語モデルであり、計算するためのしくみを内蔵していないためだ。よって、小学生でも解けるような簡単な計算でも誤った解答を返してしまう。

このように、チャットGPTは必ずしも正確な答えを返すわけではないため、正解を求める使い方は向いていない。一方、チャットGPTは、質問に関連する情報を幅広く集めて返す能力に優れている。つまり、アイデアを出したり、質問に対するアドバイスをしてもらうといった使い方には大きな力を発揮する。たとえば、何かの企画を考える際、チャットGPTの回答を叩(たた)き台にしてブラッシュアップしていけば、人間だけでは思いつかなかったものに仕上げられるだろう。

企画書を作る

チャットGPTは、文章の生成だけではなく、アイデア出しやフォーマット作りなども得意のジャンルだ。よって、企画書の草案を作るのにも向いている。企画書を作る場合は、企画したい内容を簡潔にまとめておき、企画書に盛り込む項目と一緒に指示すればよい。これだけで、指定されたフォーマットにしたがって企画書を作成してくれる。一度で完璧なものには仕上がらないので、ブラッシュアップしていくことが肝心だ。

■**チャットGPTへの質問・指示（プロンプト）**

次のフォーマットで企画書を作ってください。テーマは「ブラウザーで動作するアクションゲーム」です。

・企画書のタイトル
・概要 企画書の目的や概要を記載。

・背景 プロジェクトや課題の背景情報を記載。
・目的 企画書の具体的な目的を記載。
・方法 企画書で提案する方法や手順を記載。
・結果・予想効果 取り組むことで得られる結果や予想される効果を記載。
・まとめ 企画書のまとめや結論を記載。

■チャットGPTからの回答

【企画書のタイトル】
ブラウザで動作するアクションゲーム開発プロジェクト

【概要】

この企画書は、ブラウザ上で動作するアクションゲームの開発を提案します。このプロジェクトの目的は、ユーザーがインターネットブラウザ上で手軽に楽しめる、魅力的でエンターテイニングなゲーム体験を提供することです。本プロジェクトでは、Web技術を活用し、ブラウザ上でのゲームプレイを可能にするための開発を行います。

【背景】

近年、インターネットの普及により、多くの人々がブラウザを通じてコンテンツにアクセスしています。しかし、ブラウザ上でプレイできる魅力的なアクションゲームはまだ限られており、多くのユーザーが他のプラットフォームに移動する必要があります。この課題を解決するために、ブラウザ上で高品質なアクションゲームを提供するプロジェクトを立ち上げることが重要です。


【目的】

本プロジェクトの目的は以下の通りです：

ブラウザ上で動作する魅力的なアクションゲームの開発を通じて、ユーザーに新たなエンターテイメント体験を提供する。

Web技術を活用して、利便性の高いゲームプレイ環境を実現する。

ブラウザゲームの普及促進により、ユーザーのブラウザ内での滞在時間を増やし、ユーザーエンゲージメントを向上させる。

【方法】
以下の手順でプロジェクトを進めます：
1. 開発チームの編成と役割分担を行う。
2. ブラウザ上で動作するアクションゲームの基本設計を行う。
3. ゲームエンジンの選定および開発環境の構築を行う。
4. ゲームプレイのための操作方法やシステムを設計する。
5. アートデザインやサウンドの制作を行い、ゲームの魅力を高める。
6. 開発したゲームのテストとデバッグを行い、品質の向上を図る。
7. ゲームの公開とプロモーションを行い、ユーザーにアピールする。

【結果・予想効果】
本プロジェクトの取り組みにより、以下の結果と予想効果が得られると考えています：
1. ブラウザ上で動作するアクションゲームの提供により、多くのユーザーが手軽にアクセスし、エンターテイメントを楽しむことができる。

2. 高品質なゲーム体験の提供により、ユーザーエンゲージメントが向上し、ブラウザ内での滞在時間が増加する。

3. ブラウザゲームの普及により、新たな収益源を開拓し、ビジネスの成長を促進する。

【まとめ】

本企画書では、ブラウザで動作するアクションゲームの開発プロジェクトについて提案しました。ユーザーが手軽にアクセスできる環境で、魅力的なゲーム体験を提供することで、ユーザーエンゲージメントの向上とビジネスの成長を目指します。プロジェクトの手順や予想効果を考慮し、本企画を実行することで、成功を収めることが期待されます。

■**チャットGPTへの質問・指示（プロンプト）**

操作に慣れていないシニアを対象にした場合の結果や予想効果を短くまとめてください。

【結果・予想効果（シニアを対象にした場合）】

本プロジェクトをシニア向けに展開した場合、以下の結果と予想効果が期待されます：

シンプルな操作性と直感的なインターフェースにより、慣れていないシニアでも簡単にゲームをプレイできる。

アクションゲームを通じた脳トレや認知機能の刺激により、シニアのメンタルトレーニングやエンターテイメントの提供が可能となる。

ブラウザ上でのアクセスの利便性により、シニアの自宅や施設での利用が促進され、孤立感の軽減やコミュニティの形成に寄与する。

【まとめ】

シニアを対象にしたブラウザで動作するアクションゲームの展開により、操作に慣れていないシニア層にも利用しやすいエンターテイメント体験を提供します。シンプルな操作性と脳トレ効果を組み合わせることで、シニアのメンタルトレーニングや社会的結びつきの向上に寄与することが期待されます。

メールの下書きを作る

メールの文面を考えるのは、神経を使うだけでなく、時間もかかる作業だ。そこで、チャットGPTに下書きをしてもらえば、面倒な作業を大幅に軽減できる。メールの下書きを依頼する際に注意する点は、具体的な目的や目標をわかりやすく指示すること。送信する相手、メールの趣旨や目的、日時や場所などを箇条書きで記載すると、目的の文面で仕上がりやすくなる。また、送る相手に合わせて文章のスタイルやトーンも指定しておくようにしよう。

■チャットGPTへの質問・指示（プロンプト）

以下の情報をもとにビジネスメールの下書きを作成してください。
・自分：未来商事の山田
・相手：株式会社虹色の佐藤営業部長
・用件：新製品のプレゼンテーションの日程調整

・日時：来週のいずれかの午前中
・場所：オンライン（Google Workspace）

■**チャットGPTからの回答**

件名：新製品プレゼンテーションの日程調整について

佐藤様

お世話になっております、未来商事の山田です。突然のご連絡になりますが、新製品のプレゼンテーションの日程調整についてご相談があります。

弊社では、新製品の魅力的な機能や特徴を株式会社虹色にご紹介させていただきたいと考えております。是非、営業部の皆様にその価値をお伝えする機会をいただければと存じます。

日程については、来週のいずれかの午前中にオンラインでプレゼンテーションを行うことを予定しております。具体的な日時をご提案させていただきたく、ご都合をお伺いしたく思います。弊社ではGoogle Workspaceを使用していますので、Google Meetを利用してのオンライン会議をご提供させていただけます。

ご多忙中恐れ入りますが、下記の日程の中でいかがでしょうか？

来週月曜日の午前中
来週水曜日の午前中
来週金曜日の午前中
また、他の日程がございましたらお知らせください。ご希望にできる限り添えるよう調整させていただきます。

ご返信いただけるまでお待ち申し上げます。何卒よろしくお願い申し上げます。

敬具

未来商事 山田

　ここでは例としてビジネスメールの下書きを紹介したが、これ以外にも用途は多くある。たとえば、慎重な対応が必要なクレームへの対応メールだ。このようなメールは迅速な対応が求められる一方、丁寧なものでなければならない。人の手で書こうと思っても、内容はもちろんのこと、正しい敬語が使われているかどうかのチェックなども必要となりなかなか面倒だ。しかし、チャットＧＰＴを使えば、スピーディーに仕上げることができる。クレーム対応のメールを書く場合は、プロンプトに「次のクレームが届きました。返信メールを作成してください」と書き、その続きにクレームの本文を続ければよい。

　なお、メールの下書きをさせる場合の注意がいくつかある。まず、全体の文章が長くなる傾向があるので、あまりに長いときは、「２００文字以内でまとめてください」と再度指示して、要約してもらうようにしたほうがよい。また、これはチャットＧＰＴ全般にいえることだが、誤字脱字があったり、おかしなニュアンスの文が混じっていたりすることがある。そのため、単純にコピペするのではなく、内容を人の目で必ずチェックすることが大切だ。

長文を要約する

チャットGPTは、指定した文章の要約も得意だ。読まなければならない資料のボリュームが大きい場合、チャットGPTで要約すれば短時間で概要を把握できる。レポートや論文なども要約してから読み込むと、理解が速くなるのでおすすめだ。要約の長さは「短く要約してください」という感じで調整可能。また、「注意点を強調して要約してください」と指示すれば、要点だけをまとめてくれるようになる。

■チャットGPTへの質問・指示（プロンプト）

次の文章を短めに要約してください。

チャットGPTは、オープンAIによって開発された大規模な言語モデルである。このモデルは、自然言語処理（NLP）という技術を用いて、人間が書くような文章を生成することができる。その能力は広範で、質問への回答、文章の要約、メールの下書き作成、さらには物語の作成まで、多岐にわたる。

チャットGPTの学習方法は、大量のテキストデータを用いた教師なし学習である。これは、モデルが人間の文章のパターンを学び、それを模倣することで、新しい文章を生成するというものだ。チャットGPTは単に模倣するだけでなく、与えられたプロンプトに基づいて、特定の目的に沿った文章を生成することも可能である。

しかし、チャットGPTは完全な人間の思考を模倣するものではない。それはあくまで機械であり、人間のような意識や感情、倫理観を持つわけではない。そのため、使用する際にはその限界と可能性を理解したうえで、適切に活用することが求められる。

■チャットGPTからの回答

チャットGPTはオープンAIによって開発された大規模な言語モデルであり、自然言語処理技術を使用して文章を生成できる。学習方法は教師なし学習であり、与えられたプロンプトに基づいて目的に応じた文章を生成できる。ただし、チャットGPTは完全な人間の思考を模倣するわけではなく、機械であることに留意する必要がある。

議事録を作成する

チャットGPTを使って議事録を作成すると、会議の内容をすぐに整理し、共有することが可能だ。ただし、そのためには会議の内容を文字起こししたテキストが必要となる。会議を録音した音声データがあるならば、データを文字起こしするアプリやサービスを活用すると効率よく進められる。なお、チャットGPTで作った議事録はニュアンスが微妙におかしいこともあるので、最終的な仕上げは必ず人の手で行うようにしよう。

■チャットGPTへの質問・指示（プロンプト）

次の内容を議事録としてコンパクトにまとめてください。

会議日時：2023年6月23日 10：00-11：00
出席者：山田太郎（部長）、佐藤一郎（課長）、田中花子（主任）
議題：新製品のマーケティング戦略について

山田：それでは、新製品のマーケティング戦略について話し合いましょう。まずは、佐藤課長から現状の市場分析について報告をお願いします。

佐藤：はい、現在の市場状況ですが、競合他社も同様の製品を開発していることが明らかになりました。そのため、我々の製品が市場で成功するためには、差別化が重要となります。

田中：その点については、我々の製品が持つ独自の機能を強調することで、消費者に対する訴求力を高めることが可能だと思います。

山田：その考え方はよいと思います。具体的なアクションプランを次回の会議までに作成して、それをもとにさらに議論を深めましょう。

全員：了解しました。

■チャットGPTからの回答

議事録：
・日時：2023年6月23日10：00－11：00
・出席者：山田太郎（部長）、佐藤一郎（課長）、田中花子（主任）
・議題：新製品のマーケティング戦略

議事の要点：
・佐藤課長から現状の市場分析が報告される。
・競合他社も同様の製品を開発しているため、差別化が重要。
・我々の製品が持つ独自の機能を強調し、消費者に訴求力を高めることを提案。
・次回の会議までに具体的なアクションプランを作成し、議論を深めることが決定。

全員の了解が得られた。

議事録を作成する場合、あとから読みやすいように要点をまとめたいこともある。そんな場合、どのような要点があるかを明示して指示すると効果的だ。たとえば、「会議の目的」「議事の要点」「決定事項」「今後の課題」を別々にまとめた議事録にしたい場合は、次のようなプロンプトで指示をする。これにより、それぞれの項目ごとに情報を整理してまとめた議事録を作成できる。

■チャットGPTへの質問・指示（プロンプト）

条件にしたがって議事録をまとめてください。
#条件
・会議の目的
・議事の要点
・決定事項
・今後の課題

#内容
（以下、会議のテキスト）

コピーライティングに利用する

商品の販売、ブランディング、コンテンツマーケティング、SEOなどでは、コピーライティングのスキルが重要。チャットGPTは指示した内容でのコピーを短時間で大量に書けるのが大きなメリットだ。コピーを作る場合は、はじめにコピーライターという立場であることを教え、次に特徴や伝えたいこと、ターゲットを伝える。また、参考にしたいコピーがあれば、そのコピーも伝えるとイメージしたコピーが出力されやすくなる。

■チャットGPTへの質問・指示（プロンプト）

あなたはプロのコピーライターです。商品の特徴を踏まえたうえで下記の制約条件に当てはまるキャッチコピーを10個考えてください。

#商品名：おったまげラーメン

#特徴1：厳選した具材がこれでもかと乗っている
#特徴2：インスタ映えする
#価格：1100円
#過去のキャッチコピー：「濃厚摂食」「誘うならラーメン」「1000円の幸せ」

■チャットGPTからの回答

1.「具材の極み、おったまげラーメン」
2.「驚きのボリューム、おったまげラーメン」
3.「一度食べれば忘れられない、おったまげラーメン」
4.「インスタ映え間違いなし、おったまげラーメン」
5.「贅沢な具材を堪能しよう、おったまげラーメン」
6.「1100円で味わう至福の一杯、おったまげラーメン」
7.「食欲を誘う最高のラーメン、おったまげラーメン」
8.「具材のオンパレード、おったまげラーメン」
9.「満足度120％！おったまげラーメン」
10.「幸せを召し上がれ、おったまげラーメン」

翻訳したり、翻訳結果を要約する

チャットGPTは外国語を翻訳するのも得意なことの一つ。翻訳する場合は、何語に翻訳するかを伝え、元の文章を入力する。一部こなれていない翻訳になることもあるが、意味をとらえるなら問題ないレベルだ。ただし、専門用語などが含まれるものをそのまま過信するのは注意が必要。あくまでも目安として使うほうがいいだろう。また、翻訳時に要約を指示すれば、翻訳したものを要約してくれる。海外のリポートなどを確認する際に使うと便利だ。

■**チャットGPTへの質問・指示（プロンプト）**

以下の文章を日本語に翻訳してください。また翻訳後の文章で重要な部分を要約してください。

OpenAI's GPT (generative pre-trained transformer) models have been trained to understand natural language and code. GPTs provide text outputs in response to their inputs. The inputs to GPTs are also referred to as "prompts". Designing a prompt is essentially how you "program" a GPT model, usually by providing instructions or some examples of how to successfully complete a task.

Using GPTs, you can build applications to:

Draft documents
Write computer code
Answer questions about a knowledge base
Analyze texts
Create conversational agents
Give software a natural language interface
Tutor in a range of subjects
Translate languages

Simulate characters for games
...and much more!

■チャットGPTからの回答

オープンAIのGPT（Generative Pre-trained Transformer）モデルは、自然言語とコードを理解するために訓練されています。GPTは、入力に対してテキストの出力を提供します。GPTへの入力は通常「プロンプト」とも呼ばれます。プロンプトの設計は、タスクを成功裏に完了する方法の指示や例を提供することで、GPTモデルを「プログラム」することです。

GPTを使用することで、以下のようなアプリケーションを構築することができます：

・文書の起案
・コンピュータコードの作成
・ナレッジベースに関する質問の回答

・テキストの分析
・会話エージェントの作成
・ソフトウェアに自然言語インターフェースを提供
・様々な科目のチューター
・言語の翻訳
・ゲームのキャラクターのシミュレーション
・…その他さまざまなこと！

要約：
GPTモデルは、自然言語とコードを理解するために訓練されており、プロンプトと呼ばれる入力に対してテキストの出力を提供します。GPTを使用することで、文書の起案やコードの作成などさまざまなアプリケーションを構築することができます。

文章を校正する

書いた文章を校正するのは必須の作業だが、毎回細かな点をチェックするのは時間のかかる作業だ。この校正作業もチャットGPTに任せると、大幅に効率化できる。校正する際は、プロンプトでどのような校正をするのかをすべて具体的に指示する。また、最近はコンプライアンスなども厳しいため、炎上する要素が含まれていないかを確認したほうがいいだろう。この場合は「炎上しそうな表現がある場合は指摘してください」といった形で指示を出せばよい。

■プロンプト

履歴書を作成する際に、ChatGTPを利用するのはおおきなメリットです。例えば、メジットの1つに執筆時間を短じかくでき、普通なら自分で文章が考えて書かないといけませんが、ChatGTPを使えば、ある程度の文章を生成してくれるので、面倒な作業を減らせます。まさに二束三文ですね。ただし、できたものをそのまま使うのは子どもでもできることでいい大人がすることではありません。最後は人の目で確認して仕上げましょう。

上記の文章に対して、次の操作を行ってください。
・誤字脱字、タイプミスがあった場合はすべて指摘
・言葉や数字にばらつきがあった場合はすべて指摘
・慣用句や諺の使い方に誤りがある場合はすべて指摘
・炎上しそうな表現がある場合はすべて指摘
・指摘したあとに修正した文章を出力

■チャットGPTからの回答

以下に、指摘と修正を行った文章を示します。

指摘：
「ＣｈａｔＧＴＰ」→「ＣｈａｔＧＰＴ」：正しい名称を使用しましょう。
「おおきなメリット」→「大きなメリット」：「おおきな」の表記が誤りです。

「メジット」→「メリット」：誤った表記です。「短じかくでき」→「短縮でき」：「短じかく」は誤った表現です。「短縮でき」が正しいです。

「普通なら」→「通常は」：「普通なら」の表現が不自然です。「通常は」が適切です。

「自分で文章が考えて」→「自分で文章を考えて」：「文章が考えて」では主体が不明確です。「文章を考えて」が適切です。

「面倒な作業を減らせます」→「手間を減らせます」：「面倒な作業を減らせます」は意味的には問題ありませんが、「手間を減らせます」の方が自然な表現です。

「まさに二束三文ですね」→文言の修正が必要：「二束三文」は「ほとんどの場合、短い時間や労力で手に入るもの」という意味ですが、この文脈では不適切です。

「子供でもできることでいい大人がすることではありません」→炎上しそうな表現：この表現は攻撃的であり、炎上の可能性があります。

修正後の文章：

履歴書を作成する際に、ChatGPTを利用するのは大きなメリットです。例えば、メリットの1つに執筆時間を短縮でき、通常は自分で文章を考えて書かなければなりませんが、ＣｈａｔＧＰＴを使えばある程度の文章を生成してくれるので、面倒な作業を減らせます。まさに効率的な手段ですね。ただし、できたものをそのまま使うのは望ましくありません。最終的には他人の目で確認して仕上げましょう。

修正後の文章では、文法的なミスや表現の不適切さが修正され、より適切かつ自然な文章になりました。また、炎上の可能性がある表現も修正されました。

なお、チャットＧＰＴがチェックできるのは、あくまでも一般的な文章の表現だけだ。個人情報やプライバシー、著作権や商標など、すべてのことを確認できるわけではない点は注意しよう。また、情報の正確さは担保されていないので、チェック結果を鵜呑みにせずに、最終的には自分自身で確認することを忘れないようにしたい。

エクセルの数式を作る／チェックする

エクセルでやりたいことがあるが、そのやり方がわからないということは少なくない。この場合、自分で関数を調べて悩むよりも、チャットＧＰＴにやりたいことを伝えて数式を作ってもらったほうが圧倒的に効率がよい。逆に、エクセルで目的の結果が出なかったり、エラーが起きているような場合は、質問とともに該当セルの数式をチャットＧＰＴに問い合わせる。これで、うまく動かない理由や対処方法を確認できる。

■チャットGPTへの質問・指示（プロンプト）

エクセルで、A列の値に応じて、次の条件で各行のB列に「評価」を入力したいです。この場合の数式を教えてください。

A1が75以上なら、A2には合格
A1が70以上なら、A2には保留
A1が70未満なら、A2には不合格

■チャットGPTからの回答

以下の数式をセルB２に入力することで、A１の値に応じてB２の値が設定されます。

=IF(A1>=75,"合格",IF(A1>=70,"保留","不合格"))

この数式は、IF関数を使用して条件分岐を行っています。最初のIF文では、A１の値が75以上であれば〝合格〟を返し、そうでなければ次のIF文に進みます。次のIF文では、A１の値が70以上であれば〝保留〟を返し、そうでなければ〝不合格〟を返します。

この数式をセルB２に入力し、必要に応じて下方向にコピーすると、他のセルに対しても同様の条件式が適用されます。

■チャットGPTへの質問・指示（プロンプト）

エクセルの数式でA１セルが５００以上の場合は「Aクラス」、そうでなければ「Bクラス」と表示しようとしたら、A１セルが５００のときに「Aクラス」と表示されてしまいます。この誤りを修正してください。

=IF(A1>500,"Aクラス","Bクラス")

■チャットGPTからの回答

誤りを修正するためには、等号を追加する必要があります。以下のように数式を修正してください。

=IF(A1>=500,"Aクラス","Bクラス")

この修正により、A1セルが500の場合でも「Aクラス」と表示されますが、A1セルが500未満の場合は「Bクラス」と表示されるようになります。

第7章

チャットGPTは有料プランで大きく進化する

チャットGPTの有料プランでもっと便利に

チャットGPTには、有料プランである「チャットGPTプラス」が用意されている。このプランの最大のメリットは、次世代大規模言語モデルである「GPT－4」が使えるという点にある。これにより、回答精度が上がり、より複雑な文章にも対応できるようになった。

最近はチャットGPTを使うユーザーが頭打ちになったともいわれるが、それでも非常に混雑している時間帯がある。無料版の場合、混雑している時間帯はエラーが起きやすく、いつまで経っても利用できないことが少なくない。一方、有料版は優先的にリソースが割り当てられるため、混雑した時間帯でも安定して高速にチャットGPTを利用できる。また、最新機能なども有料プランなら優先的に利用が可能だ。このように、無料版と有料版では接続の安定性や機能に大きな違いがあるので、仕事などで使うなら有料版にしておくのがおすすめだ。

気になる料金だが、2023年7月現在、月額20ドル。支払はクレジットカードのみに対応している。

プラグイン併用でチャットGPTの機能を拡張

チャットGPTプラスは、サードパーティ製のプラグイン機能が利用できるのも大きなメリットだ。プラグインとは、チャットGPTの機能を拡張するツールのこと。従来のチャットGPTは、おもに質問に対する回答の生成ぐらいしかできなかったのに対し、プラグインを使うとさまざまな機能を利用できるようになる。たとえば、「指定したデータでグラフや図を描く」「指定したPDFファイルの中身を要約する」「指定した地域の飲食店を探す」など、活用の幅がより広くなる。使い方も簡単で、ユーザーがコマンドなどを使わなくても、プロンプトの内容から自動的に判別してプラグインが呼び出されるので、操作で困ることはほとんどないだろう。

プラグインを検索して導入する

次に、利用するプラグインをインストールする必要がある。これらの操作は、チャットGPTに用意されている「プラグインストア」から行う。この画面で目的のプラグインを探してインストールする。スマホのストアアプリみたいなものと考えればわかりやすいだろう。なお、同時に利用できるプラグインは最大三つまでとなっている。

GPT－4ならさらに高精度な回答を得られる

GPT－4とは、チャットGPTの基本モデルとなっていたGPT－3・5の後継モデルのことだ。GPT－3・5と比較して、飛躍的な進化を遂げている。チャットGPTでGPT－4を使うには、有料プランの「チャットGPTプラス」に登録しなければならないので、悩んでいる人もいるだろう。ここからは、GPT－3・5とGPT－4を比較し、どの程度進化しているのかを確認していこう。

■AIの精度に直結する性能が大きく進化

性能面では、AIの性能に直結するパラメーター数が大幅に増加している。GPT－3・5はパラメーター数が3350億個だったのに対し、GPT－4は非公開ながらも1兆個以上といわれている。また、扱えるデータ量の指標となるトークン数もGPT－4はGPT－3・5の約8倍に増加。これらの性能が飛躍的に進化したことにより、より複雑な指示にも対応できるようになっている。

回答の正確性も約40%向上

回答の正確性という点でも大きく進化している。オープンＡＩが「９つのカテゴリにおいて、どの程度の確率で正しい文章を生成できるか」という正確性を測るテストを実施したところ、ＧＰＴ－３・５はスコアが40～50%程度であったのに対し、ＧＰＴ－４は70～80%程度まで向上したという結果が出ている。正確性が向上したことにより、ＧＰＴ－３・５のときによく見られた「いかにも正しそうだが実は間違い」というケースが約40%減っている。とはいえ、ＧＰＴ－４も必ず正しいわけではない点に留意しておきたい。

長文でのやり取りが可能

トークン数が増加したことにより、長文でのやりとりも可能になった。具体的には、入出力できる文字数がＧＰＴ－３・５は英語ベースで３０００語程度だったのに対し、ＧＰＴ－４は最大２万５０００語程度まで取り扱えるようになった。これを本で例えると、30ページ以上の文量を一度に生成できるほどの単語量に相当する。つまり、より長文でのテキスト生成が可能になり、より複雑な指示への回答もできるようになったことを示している。

日本語の精度が向上

言語モデルの学習データセットの拡充やアルゴリズムの改善により、日本語の表現や文法に対する理解が向上しているのも大きな違いだ。オープンAIが行ったテストによると、GPT－3・5の英語のスコアが70・1％なのに対して、GPT－4の日本語のスコアが79・9％となっており、GPT－3・5の英語よりも精度が高いという結果が出た。実際に試してみるとわかるが、GPT－3・5では不自然な日本語の出力が多く見られたが、GPT－4ではそのような問題が大幅に改善されている。

回答の安全性が向上

GPT－4は、安全な回答がされるように、回答生成のアルゴリズムも最適化されている。具体的には、学習アルゴリズムが改良され、ルールベースの判別器が新しく加わった。これにより、不適切な質問に対しても適切な対応ができるようになっている。たとえば、不健康につながる質問や武器の作り方などの質問をされた際、GPT－4は質問者が悪い方向に進まないように工夫して返答するようになっている。

画像の処理も対応

ＧＰＴ－４は「マルチモーダル」になったのも大きな違いだ。マルチモーダルとは、複数のデータ形式も処理できるということ。ＧＰＴ－３・５は「シングルモーダル」と呼ばれるタイプでテキストしか対応できなかったが、ＧＰＴ－４の場合は画像の処理にも対応した。たとえば、論文の写真を読み込ませて要約したり、手書きのスケッチに書かれた内容を理解してコードを書いたりできる。２０２３年7月時点では、この画像処理は対応していないが、今後実装される予定だ。

ファイルを読み込んでデータを処理する

この章の最後に、2023年7月、チャットGPTプラスに新しく追加された「コードインタープリター（Code Interpreter）」という機能を紹介したい。これはパイソン（Python）を実行できるサンドボックスをチャットGPTに割り当てるもので、一時的に作成されるディスクスペースへファイルをアップロードできる。これにより、ファイルのデータをもとにしてさまざまな処理を行うことが可能になった。

たとえば、アップロードしたエクセルやCSVファイルのデータから、データの分析やグラフの作成といった使い方が可能。画像や動画なら、拡大/縮小、フィルターの適用といったこともできる。これ以外にも、ファイルを別の形式に変換したり、QRコードを作成したりするなど、活用できるシーンは幅広い。

なお、大量のファイルや大きなサイズのファイルを処理しようとするとエラーになってしまう。また、グラフなどを作成する場合、テキストに日本語が含まれていると正常に出力されないといった問題もあるので、使用するときは注意しよう。

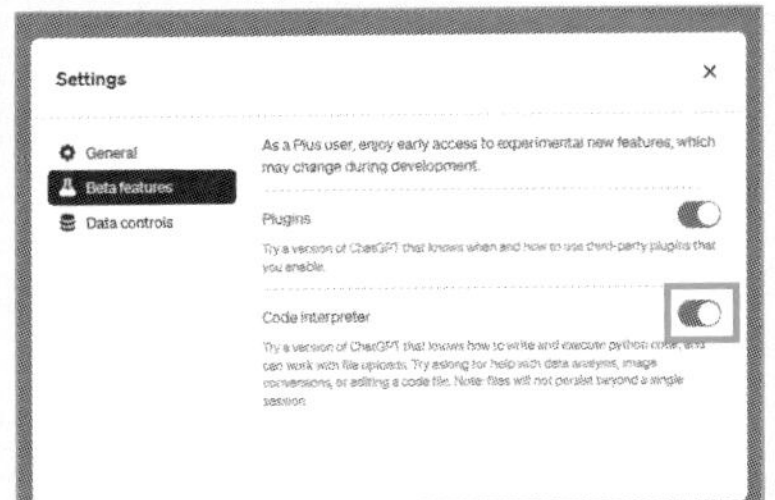

1

チャットGPTでコードインタープリターを使えるようにするには、「Settings」画面を開いて「Beta features」をクリック。「Code Interpreter」をオンにする

2

チャットGPTの画面に戻ったら、「GPT-4」をクリックし、「Code Interpreter」を選択する

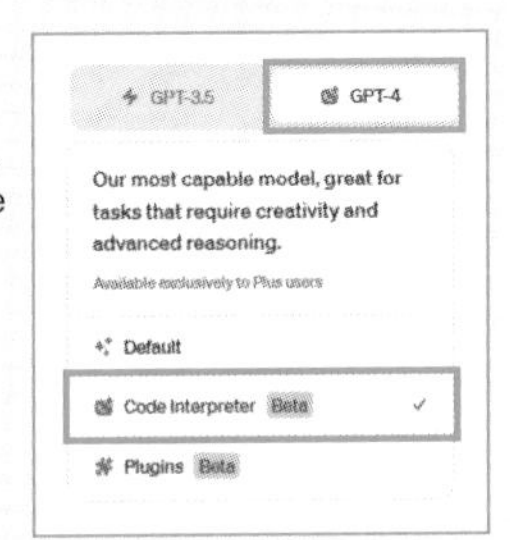

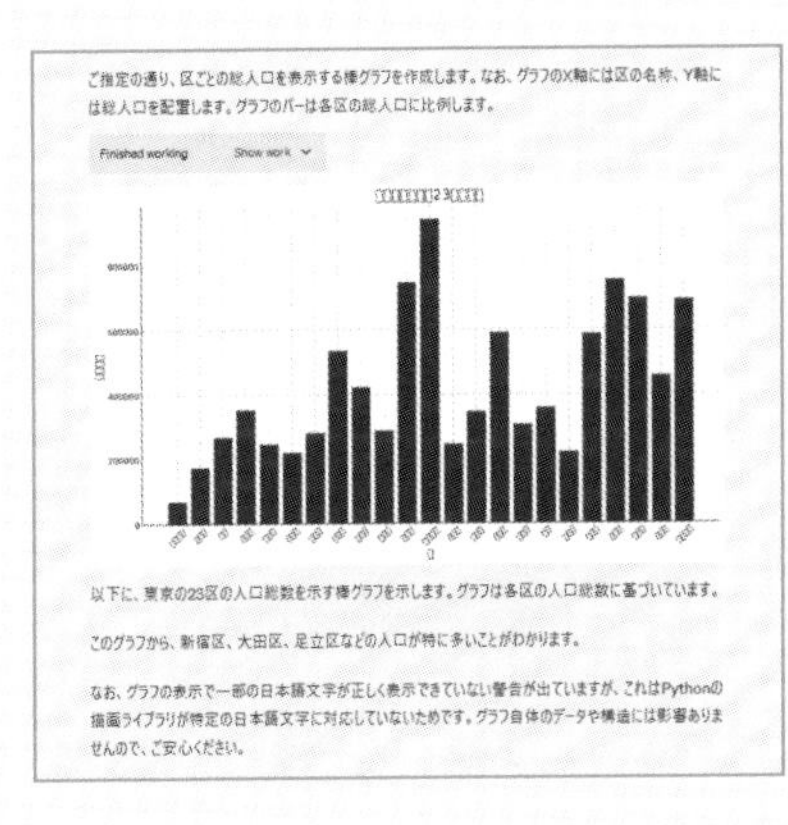

3

東京都の人口統計のエクセルファイルをアップロードし、23区別に棒グラフにした例。コードインタープリターを使うと、このような処理があっという間に実行できる

おわりに

未来に向けて、AIと共存するために

これまで見てきたように、チャットGPTはこれからの生成AI活用を方向づける大きな転換となる発明といえる。その活用法はまだまだ未知数なところが多い。加速度的な進化が続くAI業界にあっては、今この瞬間にも新たな技術やサービス、製品が誕生していることだろう。

また、次なる革命は、これまで大きなプラットフォームを形成し、ITの分野を席巻してきたビッグテック企業ではなく、オープンAIのような新興の団体・ベンチャー企業によってなされる可能性が高い。どの企業も、次なるイノベーションを起こそうとさまざまな取り組みがなされている。

こうした取り組みを通して、AIに私たちの仕事のほとんどが代替される日が到来するのも、近い将来に違いない。しかし、だからといって、人間の職業のすべてが機械に奪われるのでもない。依然として人間の役割は残るのであり、かえって、ますます人間独自の価値が高まる時代がやってくるのだともいえる。

ある一面では、ＡＩは私たちの競合相手であり、脅威となるかもしれない。しかし、それ以上に私たちの暮らしを豊かにしてくれる良きパートナーともなりうる存在なのである。人間と同じように言葉を理解し、情報を処理できるほどの知能を手にした汎用ＡＩの登場は、まさに人類にとって未知の他者との遭遇である。

私たちの祖先は、出アフリカの時代から常に未知との出会いを通じて、自らを高め、繁栄していった。ＡＩという未知なる他者との対話は、まだ始まったばかりなのだ。

もちろん、課題も多い。本書で解説してきたように、「幻覚」や「嘘」のようにＡＩそれ自体が孕む問題もあれば、人間がこれまで蓄積してきた膨大な情報そのものが問題となる場合もある。後者においては、ＡＩが仮に差別的表現や行いを繰り返すとすれば、それは人間が差別的であるからにほかならないということになりかねないだろう。いわば、ＡＩは人間の知能から生まれた、私たち人間を映す鏡なのである。人間の態度次第で、いかようにも変わる他者ともいえる。今後、ＡＩと共生する未来がどんなものになるかは、まさに私たちの手に委ねられているのである。

参考文献（順不同）

ニック・ボストロム（倉骨彰訳）
『スーパーインテリジェンス　超絶ＡＩと人類の命運』日本経済新聞出版

エリック・ブリニョルフソン／アンドリュー・マカフィー（村井章子訳）『機械との競争』日経ＢＰ

エリック・ブリニョルフソン／アンドリュー・マカフィー（村井章子訳）
『プラットフォームの経済学　機械は人と企業の未来をどう変える？』日経ＢＰ

稲葉振一郎『ＡＩ時代の労働の哲学』講談社

デヴィッド・グレーバー（酒井隆史訳）
『官僚制のユートピア　テクノロジー、構造的愚かさ、リベラリズムの鉄則』以文社

デヴィッド・グレーバー（酒井隆史・芳賀達彦・森田和樹訳）
『ブルシット・ジョブ　クソどうでもいい仕事の理論』岩波書店

佐々木常夫『９割の中間管理職はもういらない』宝島社

ヤーデン・カッツ（庭田よう子訳）『ＡＩと白人至上主義』左右社

古川渉一／酒井麻里子
『先読み！ＩＴ×ビジネス講座　ＣｈａｔＧＰＴ　対話型ＡＩが生み出す未来』インプレス

矢内東紀『ＣｈａｔＧＰＴの衝撃　ＡＩが教えるＡＩの使い方』実業之日本社

馬渕邦美『ジェネレーティブＡＩの衝撃』日経ＢＰ

日経ビジネス／日経クロステック／日経クロストレンド編
『ＣｈａｔＧＰＴエフェクト　破壊と想像のすべて』日経ＢＰ

白辺陽『生成ＡＩ　社会を激変させるＡＩの創造力』ＳＢクリエイティブ

レイ・カーツワイル／徳田英幸『レイ・カーツワイル　加速するテクノロジー』日本放送出版協会

岡野原大輔『大規模言語モデルは新たな知能か　ＣｈａｔＧＰＴが変えた世界』岩波書店

井上智洋『人工知能と経済の未来　２０３０年雇用大崩壊』文藝春秋
カイフ・リー／チェン・チウファン（中原尚哉訳）『ＡＩ ２０４１　人工知能が変える20年後の未来』文藝春秋
ナオミ・クライン（中村峻太郎訳）「『幻覚を見ている』のはＡＩの機械ではなく、その製作者たちだ」『世界』２０２３年７月号、岩波書店
宮下萌「ＡＩと差別」『世界』２０２３年７月号、岩波書店
今井むつみ、川添愛「わかりたいヒトとわかっているふりをするＡＩ」『世界』２０２３年７月号、岩波書店
星暁雄「チャットＧＰＴの急激な普及、問われる『私たちの責任』」『世界』２０２３年７月号、岩波書店
ベン・アームストロング／ジュリー・シャー「製造現場は人とロボットの協働で進化する」『ＤＩＡＭＯＮＤ　ハーバード・ビジネス・レビュー』２０２３年７月号、ダイヤモンド社
松尾豊「ＡＩの進化が人間理解を促し、新たな事業機会を生み出す」『ＤＩＡＭＯＮＤ　ハーバード・ビジネス・レビュー』２０２３年７月号、ダイヤモンド社
松尾豊監修、かんようこ画『マンガでわかる！人工知能　ＡＩは人間に何をもたらすのか』ＳＢクリエイティブ
前田春香「アルゴリズムの判断はいつ差別になるのか　ＣＯＭＰＡＳ事例を参照して」『応用倫理』ｖｏｌ・12（オンラインジャーナルhttps://caep-hu.sakura.ne.jp/files/oyorinri_no12.pdf）、北海道大学
『週刊東洋経済』２０２３年４月22日号、東洋経済新報社
『週刊ダイヤモンド』２０２３年６月10、17日号、ダイヤモンド社
『ニュートン』２０２３年７月号、ニュートンプレス
Julia Angwin, Jeff Larson, Surya Mattu and Lauren Kirchner, "Machine Bias", 2016, Propublica.

編集・執筆協力　大野 真／岩渕 茂／クライス・ネッツ
本文デザイン・DTP　川瀬 誠
写真協力　アフロ（ロイター、AP、Pasxa、REX、ZUMA Press）

世界一やさしいChatGPT入門
（せかいいちやさしいちゃっとじーぴーてぃーにゅうもん）

2023年8月24日　第1刷発行

著　者　ChatGPTビジネス研究会
発行人　蓮見清一
発行所　株式会社宝島社
〒102-8388 東京都千代田区一番町25番地
電話・編集　03(3239)0928
営業　03(3234)4621
https://tkj.jp
印刷・製本　中央精版印刷株式会社

Printed in Japan
ISBN 978-4-299-04656-7